Guías para la salud

ASMA Y EPOC

Conozca cómo pueden afectar su salud.
Prevención, tratamiento y pautas de vida saludable.

Presentación

El asma es una enfermedad crónica que, por lo general, comienza en la infancia. Consiste en un estrechamiento de las vías respiratorias que produce síntomas característicos como: sibilancias, disnea o sensación de ahogo, tos y opresión en el pecho. Es una de las principales causas de ausentismo escolar y laboral. Aunque no se conoce con exactitud la causa de este trastorno, influyen tanto factores genéticos como ambientales. Los síntomas suelen desencadenarse por la inhalación de sustancias, denominadas alérgenos, que ingresan al sistema respiratorio. Los más frecuentes son el polvo, los ácaros, el polen, el pelo de determinados animales, el moho y el humo del tabaco. El asma no tiene cura, pero existen medicamentos que alivian los síntomas y son fundamentales en caso de que se desencadene una crisis asmática. Otra afección respiratoria que incide en la calidad de vida de las personas y tiene impacto social es la Enfermedad Pulmonar Obstructiva Crónica (EPOC) que afecta a adultos que son o han sido fumadores y también a fumadores pasivos.

En ambos casos, la detección temprana, los controles periódicos y el compromiso con el tratamiento son fundamentales para poder desarrollar una vida plena.

Esta guía, redactada por profesionales del área de la Salud, ofrece al paciente y su familia información básica sobre estas enfermedades, los tratamientos y las medidas de prevención, presentada de forma sencilla y didáctica.

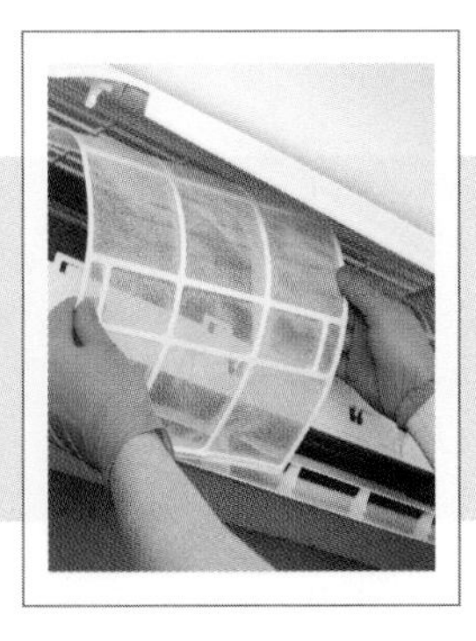

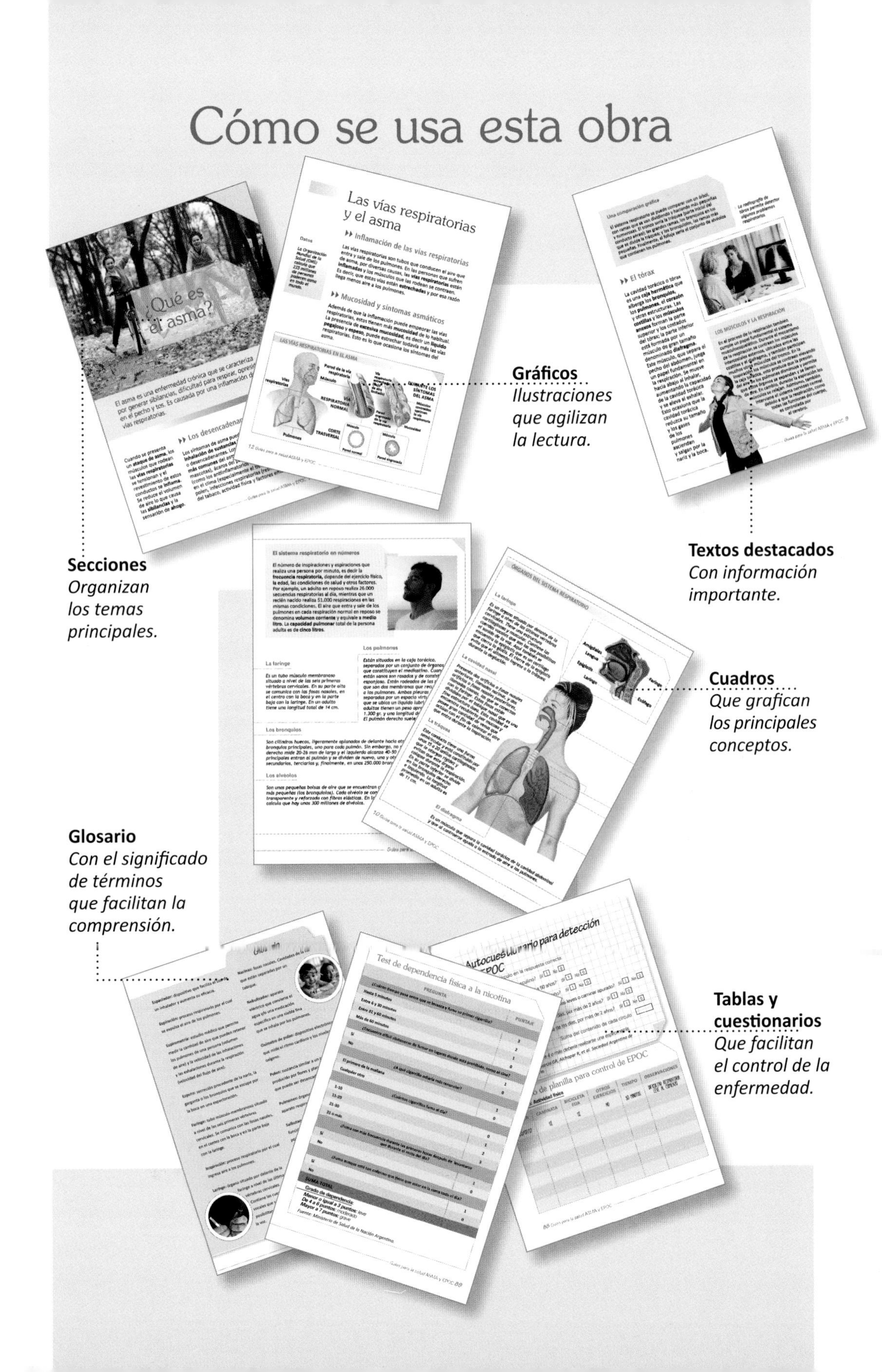

Cómo se usa esta obra
¿Qué es el asma?
Las vías respiratorias y el asma
Inflamación de las vías respiratorias
Mucosidad y síntomas asmáticos
Gráficos
Ilustraciones que agilizan la lectura.
Textos destacados
Con información importante.
Secciones
Organizan los temas principales.
Cuadros
Que grafican los principales conceptos.
Glosario
Con el significado de términos que facilitan la comprensión.
Test de dependencia física a la nicotina
Tablas y cuestionarios
Que facilitan el control de la enfermedad.

Sobre los autores

▸▸ *Alberto Omar Orden* es Médico Especialista en Clínica Médica y Reumatología. Se desempeña como Jefe de Servicio de Reumatología del Hospital Aeronáutico Central, y como Jefe del Departamento Médico de la Clínica San Camilo, ambas instituciones ubicadas en la Ciudad Autónoma de Buenos Aires, Argentina. También se dedica a la actividad docente. Actualmente es Profesor Adjunto de la Cátedra de Medicina Interna de la Facultad de Ciencias Médicas de la Universidad de Buenos Aires. Es autor de numerosos artículos y trabajos científicos publicados en libros y revistas nacionales e internacionales. Participa regularmente en congresos y simposios científicos y ha recibido diversos premios por sus contribuciones a los temas de su especialidad.

▸▸ *Gabriela Analía Trunzo* es Licenciada en Ciencias de la Comunicación por la Facultad de Ciencias Sociales de Universidad de Buenos Aires, Argentina. Realizó la Residencia Interdisciplinaria de Educación para la Salud (RIEpS) en el marco del Posgrado de Capacitación en Servicio, orientado a la realización de actividades y proyectos de promoción, prevención y educación para la salud, del Ministerio de Salud del Gobierno de la Ciudad de Buenos Aires.
Participó en el desarrollo de proyectos y actividades de Promoción, Educación para la Salud y Prevención de Enfermedades en diversos hospitales públicos de esa misma ciudad. Actualmente es Consultora en planificación, diseño y desarrollo de contenidos en la Coordinación de Información Pública y Comunicación del Ministerio de Salud de la Nación.

Importante

La presente obra contiene información de carácter orientativo y general, por lo tanto, su contenido no reemplaza de ninguna manera la consulta con el médico de cabecera ni con el especialista. Tanto el diagnóstico como la indicación del tratamiento adecuado tiene que ser realizada por un profesional de la salud, según las características particulares de cada paciente. El lector no debe tomar decisiones sobre su tratamiento sin consultar con su médico.
Los autores han seleccionado cuidadosamente las fuentes, que se mencionan al final de la obra, con el objetivo de que la información contenida en este volumen tenga respaldo científico. Sin embargo, puede haber discrepancias entre las distintas fuentes consultadas sobre los diversos temas.
Los editores y los autores no pueden ser responsabilizados por ningún tipo de daño o perjuicio derivado, directa o indirectamente, del uso y la aplicación de los contenidos de esta obra.
Este libro menciona diversos sitios web. Los autores y editores no se hacen responsables por los efectos que puede tener la información contenida en esos sitios y tampoco pueden asegurar que la misma sea actualizada de manera regular y correcta.

El asma es una enfermedad crónica que se caracteriza por generar sibilancias, dificultad para respirar, opresión en el pecho y tos. Es causada por una inflamación de las vías respiratorias.

Cuando se presenta un **ataque de asma**, los músculos que rodean las **vías respiratorias** se tensionan y el revestimiento de estos conductos se **inflama**. Se reduce el volumen de aire lo que causa las **sibilancias** y la sensación de **ahogo**.

Los desencadenantes

Los síntomas de asma pueden aparecer por la **inhalación de sustancias** llamadas **alérgenos** o desencadenantes. Los **desencadenantes más comunes** del asma son: animales (pelo de mascotas), ácaros del polvo, ciertos medicamentos (como los antiinflamatorios no esteroides), cambios en el clima (especialmente el tiempo frío), moho, polen, infecciones respiratorias (resfrío, etc.), humo del tabaco, actividad física y factores emocionales.

El sistema respiratorio

Cómo se obtiene el oxígeno

Alvéolos

Un pulmón puede contener entre 300 y 400 millones de alvéolos.

El sistema respiratorio está constituido por un conjunto de órganos que llevan el **aire**, en particular el **oxígeno**, hacia el interior de las **células**. La respiración es un **proceso involuntario** y **automático**, por el que se extrae el oxígeno del aire y se expulsa el dióxido de carbono. Para que este **intercambio gaseoso** se produzca, es necesario que el aire atmosférico entre en los pulmones y luego salga de ellos mediante los movimientos respiratorios. Estos se denominan: **inspiración** (cuando ingresa el aire) y **espiración** (cuando se expulsa).

La entrada del aire

La **respiración** comienza cuando ingresa el aire por los **orificios nasales** y estos lo conducen a la **nariz**, donde se entibia y humedece. Los vellos, denominados **cilios**, que se encuentran en la nariz protegen los conductos nasales debido a que **filtran el polvo** y otras partículas que ingresan junto con el aire al respirar. El aire también puede inhalarse por la **boca**. Estas dos aberturas, la boca y la nariz, se unen en la **faringe** o **garganta**.

El camino del aire hacia los pulmones

La faringe se divide en dos conductos: el esófago, por el que desciende el alimento hacia el estómago, y la **laringe** para el aire. Desde la base de esta última se extiende hacia abajo la **tráquea**, que en su extremo inferior se divide a izquierda y derecha en conductos de aire denominados **bronquios**, que están **conectados** a los pulmones. En el interior de los pulmones, los bronquios se ramifican en bronquios más pequeños e incluso en conductos más pequeños aún denominados **bronquiolos**. Los bronquiolos terminan en minúsculas **bolsas de aire** llamadas **alvéolos**, donde tiene lugar el intercambio de oxígeno y dióxido de carbono.

Una comparación gráfica

El sistema respiratorio se puede comparar con un árbol, con ramas que se van dividiendo y haciendo más pequeñas y numerosas. El tronco sería la tráquea (parte inicial del conducto aéreo); las grandes ramas, los bronquios en los que se divide la tráquea; y los bronquiolos, las ramas más pequeñas. Finalmente, el follaje sería el conjunto de alvéolos que contienen los pulmones.

La radiografía de tórax permite detectar algunos problemas respiratorios.

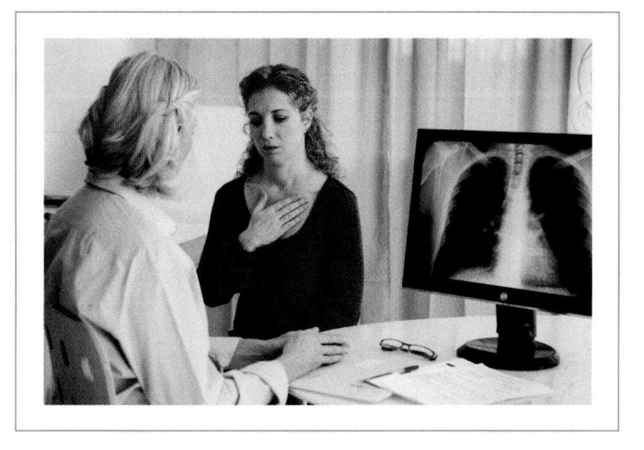

El tórax

La cavidad torácica o tórax es una **caja hermética** que alberga los **bronquios**, los **pulmones**, el **corazón** y otras estructuras. Las **costillas** y los **músculos anexos** forman la parte superior y los costados del tórax; la parte inferior está formada por un músculo de gran tamaño denominado **diafragma**. Este músculo, que separa el pecho del abdomen, juega un papel fundamental en la respiración. Se mueve hacia abajo al inhalar, aumentando la capacidad de la cavidad torácica y se eleva al exhalar. Esto ocasiona que la cavidad torácica reduzca su tamaño y los gases de los pulmones asciendan y salgan por la nariz y la boca.

LOS MÚSCULOS Y LA RESPIRACIÓN

En el proceso de la respiración también cumple un papel fundamental el sistema musculoesquelético. Durante el mecanismo de la respiración se contraen los músculos intercostales externos, ubicados entre las costillas y el diafragma, y también participan muchos otros músculos del tronco. En la inspiración los músculos se contraen elevando la caja torácica, esto produce que la presión del aire de los pulmones disminuya y permite que estos órganos se expandan y se llenen de aire. En cambio, durante la espiración los músculos se relajan. Asimismo, también interviene el sistema nervioso central debido a que la respiración, como todas las funciones del cuerpo, es controlada por el cerebro.

ÓRGANOS DEL SISTEMA RESPIRATORIO

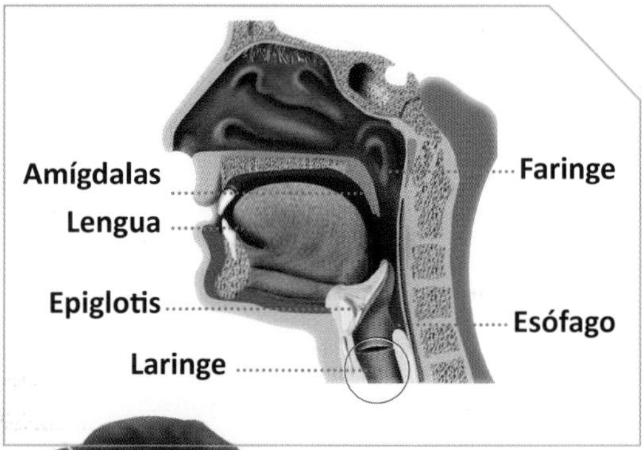

Amígdalas
Lengua
Epiglotis
Laringe
Faringe
Esófago

La laringe

Es un órgano situado por delante de la faringe a nivel de las últimas vértebras cervicales. Tiene una estructura cartilaginosa y muscular. Contiene las cuerdas vocales que son las que posibilitan el sonido de la voz. Aquí también se encuentra la epiglotis que es un cartílago que cierra la glotis. El cierre de la epiglotis evita que el alimento ingrese a la tráquea durante la deglución.

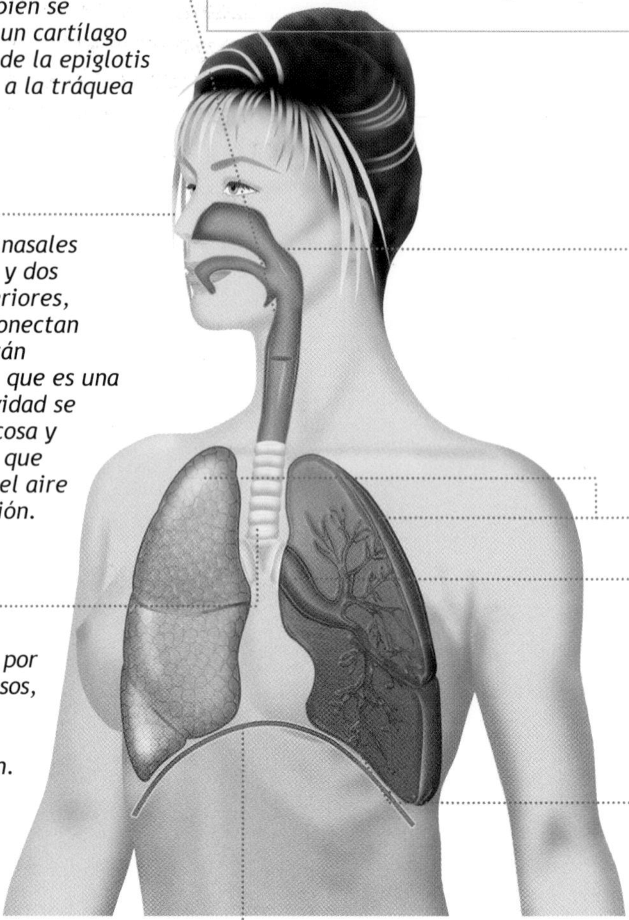

La cavidad nasal

Presenta dos orificios o fosas nasales anteriores, llamados narinas, y dos orificios o fosas nasales posteriores, llamadas coanas, las que se conectan con la faringe. Estas fosas están divididas por el tabique nasal que es una fina estructura ósea. Esta cavidad se encuentra recubierta por mucosa y posee gran cantidad de venas que actúan con el fin de calentar el aire que entra durante la inspiración.

La tráquea

Este conducto tiene una forma semicircular y está constituido por unos 15 a 20 anillos cartilaginosos, que le otorgan rigidez y evitan que este órgano colapse durante la respiración. En su parte inferior se divide en los bronquios derecho e izquierdo. La longitud promedio en un adulto es de 11 cm.

El diafragma

Es un músculo que separa la cavidad torácica de la cavidad abdominal y que al contraerse ayuda a la entrada de aire a los pulmones.

El sistema respiratorio en números

El número de inspiraciones y espiraciones que realiza una persona por minuto, es decir la **frecuencia respiratoria,** depende del ejercicio físico, la edad, las condiciones de salud y otros factores. Por ejemplo, un adulto en reposo realiza 26.000 secuencias respiratorias al día, mientras que un recién nacido realiza 51.000 respiraciones en las mismas condiciones. El aire que entra y sale de los pulmones en cada respiración normal en reposo se denomina **volumen corriente** y equivale a **medio litro**. La **capacidad pulmonar** total de la persona adulta es de **cinco litros.**

La faringe

Es un tubo músculo membranoso situado a nivel de las seis primeras vértebras cervicales. En su parte alta se comunica con las fosas nasales, en el centro con la boca y en la parte baja con la laringe. En un adulto tiene una longitud total de 14 cm.

Los pulmones

Están situados en la caja torácica, separados por un conjunto de órganos que constituyen el mediastino. Cuando están sanos son rosados y de consistencia esponjosa. Están rodeados de las pleuras que son dos membranas que recubren a los pulmones. Ambas pleuras están separadas por un espacio virtual en el que se ubica un líquido lubricante. En los adultos tienen un peso aproximado de 1.300 gr. y una longitud de 30 cm. El pulmón derecho suele ser más grande.

Los bronquios

Son cilindros huecos, ligeramente aplanados de delante hacia atrás. Hay dos bronquios principales, uno para cada pulmón. Sin embargo, no son iguales, el derecho mide 20-26 mm de largo y el izquierdo alcanza 40-50 mm. Los bronquios principales entran al pulmón y se dividen de nuevo, una y otra vez, en bronquios secundarios, terciarios y, finalmente, en unos 250.000 bronquiolos.

Los alvéolos

Son unas pequeñas bolsas de aire que se encuentran al final de las vías aéreas más pequeñas (los bronquiolos). Cada alvéolo se compone de una pared delgada, transparente y reforzada con fibras elásticas. En los pulmones humanos se calcula que hay unos 300 millones de alvéolos.

Las vías respiratorias y el asma

▸▸ Inflamación de las vías respiratorias

Datos

La Organización Mundial de la Salud (OMS) calcula que 235 millones de personas padecen asma en todo el mundo.

Las vías respiratorias son tubos que conducen el aire que entra y sale de los pulmones. En las personas que sufren de asma, por diversas causas, las **vías respiratorias** están **inflamadas** y los músculos que las rodean se contraen. Es decir, que estas vías están **estrechadas** y por esa razón llega menos aire a los pulmones.

▸▸ Mucosidad y síntomas asmáticos

Además de que la inflamación puede empeorar las vías respiratorias, estas tienen más **mucosidad** de lo habitual. La presencia de **excesiva mucosidad**, es decir un **líquido pegajoso** y **espeso**, puede estrechar todavía más las vías respiratorias. Esto es lo que ocasiona los síntomas del asma.

LAS VÍAS RESPIRATORIAS EN EL ASMA

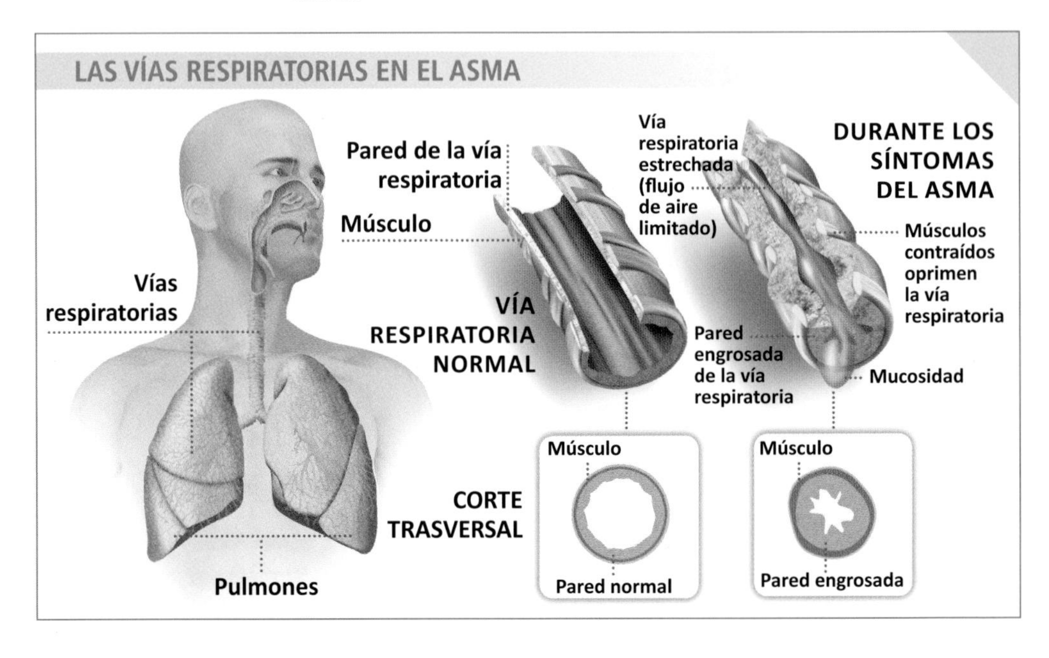

La crisis asmática

En una crisis asmática se producen tres cambios importantes que afectan las vías respiratorias:

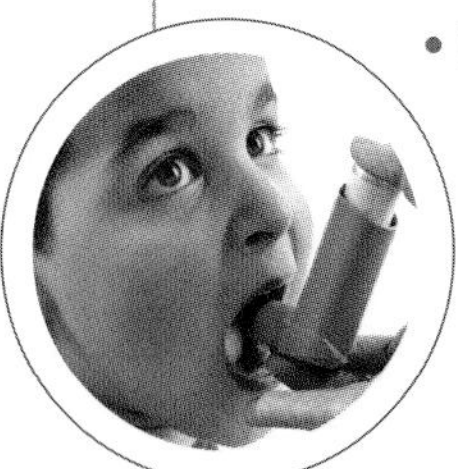

- Inflamación de las paredes de las vías respiratorias.
- Exceso de mucosidad, que provoca congestión y formación de tapones mucosos que quedan atrapados en las vías respiratorias estrechadas.
- Contracción de los músculos que rodean las vías respiratorias.

Impacto en la vida cotidiana

A pesar de los grandes avances en el tratamiento, el **impacto social** del **asma** es un aspecto muy importante a la hora de evaluar la incidencia que tiene la enfermedad en la calidad de vida de los pacientes. Además de la dimensión fisica, hay que tener en cuenta sus efectos sobre el desempeño cotidiano y sus consencuencias emocionales. Es una de las causas más frecuentes de **ausentismo escolar** y **laboral** así como de restricciones para realizar actividad física. Esto genera serias dificultades.

¿Con qué frecuencia se desencadenan los síntomas?

Los síntomas pueden presentarse varias veces al día o a la semana, y en algunas personas se agravan durante un determinado momento, por ejemplo durante la noche, o en una etapa del año, como el invierno. Muchas personas con asma tienen antecedentes personales o familiares de **alergias**, mientras que en otros casos no tiene una causa hereditaria. Por lo general, comienza en la **infancia** y se padece durante toda la vida, aunque actualmente es sencillo controlarla con un adecuado seguimiento médico.

PICAZÓN DE GARGANTA

La picazón o picor de garganta es un síntoma inespecífico que puede presentarse en diversas ocasiones. Si bien por lo general solo suele anticipar un simple resfrío, también es un excelente indicador de alergias. Por eso, puede ser un indicador de asma, aunque por sí solo no es suficiente para el diagnóstico.

El asma en la infancia

El asma es la enfermedad crónica más frecuente en la infancia. Se comprobó que en las últimas décadas se produjo un incremento de la prevalencia de casos a nivel mundial, más significativo en la población infantil y en regiones de mayor desarrollo. Si bien en la actualidad existe un mejor registro y diagnóstico también se verificó que el aumento de casos está relacionado con la calidad de vida y la mayor exposición a factores ambientales, especialmente contaminantes y alérgenos.

Enfermedades respiratorias crónicas

Existen distintos trastornos crónicos que afectan al pulmón y/o a las vías respiratorias. Entre los más frecuentes se encuentran:

- Asma.
- Enfermedad pulmonar obstructiva crónica (EPOC).
- Rinitis alérgica.
- Enfermedades pulmonares de origen laboral.
- Hipertensión pulmonar.

Según datos de la Organización Mundial de la Salud, **la más frecuente es el asma**, sin embargo la que más **mortalidad** produce es la **EPOC**. En el mundo mueren por este grupo de enfermedades 4 millones de personas cada año.

Derribando Mitos

"El asma es una enfermedad de la infancia."

Si bien el asma suele diagnosticarse durante la infancia, muchos adultos continúan padeciéndola. La mayoría de las personas que tienen asma nacen con una tendencia a desarrollarla que se mantiene a lo largo de la vida. En algunos casos, hay personas que mejoran los síntomas con la edad y su asma parece haberse extinguido por completo. Sin embargo, en otros casos no se presentan síntomas durante un tiempo pero luego vuelven a aparecer.

¿Cómo se detecta?

Las primeras sospechas de la enfermedad, en la mayoría de los casos, se dan durante la infancia. Los síntomas característicos son: episodios reiterados de silbidos, dificultad respiratoria y tos recurrente.

Los eventos de **obstrucción bronquial** suelen ser de **aparición periódica** e incrementan su intensidad durante la noche. Además, se presentan en una determinada **época del año** y se relacionan con factores desencadenantes como: **infecciones virales, ejercicio físico, alergias, cambios climáticos** o **factores emocionales**.

La función pulmonar

Estos cuadros de obstrucción bronquial mejoran de forma espontánea o cuando se administran medicamentos específicos, como los **broncodilatadores**. En estos casos el médico evaluará la **historia clínica familiar** y personal, y solicitará estudios específicos para medir la **función pulmonar**. De esta manera podrá determinar el **diagnóstico** de **asma**.

Síntomas del asma

Cómo reconocer el asma

Los síntomas que presenta una persona con asma son producto de los problemas para **respirar** debido al **estrechamiento de las vías aéreas** y al aumento de la **mucosidad**, los más característicos son: sibilancias, tos y dificultad respiratoria.

Etimología

La palabra asma proviene del latín asthma, *que a su vez procede del término griego* âsthma, *que significaba jadeo.*

Las sibilancias

Son **silbidos** producidos por el aire al **pasar por las vías aéreas** estrechadas. El sonido es más evidente cuando se **exhala** (expulsar el aire), pero también se puede escuchar al inhalar (tomar aire). Se produce un **sonido silbante y chillón** durante la respiración, que ocurre cuando el aire se desplaza a través de los conductos respiratorios en los pulmones.
Con mayor frecuencia, provienen de los **conductos respiratorios pequeños** (conductos bronquiales) que se encuentran en lo profundo de los pulmones, aunque también pueden deberse a una obstrucción en las vías respiratorias más grandes.

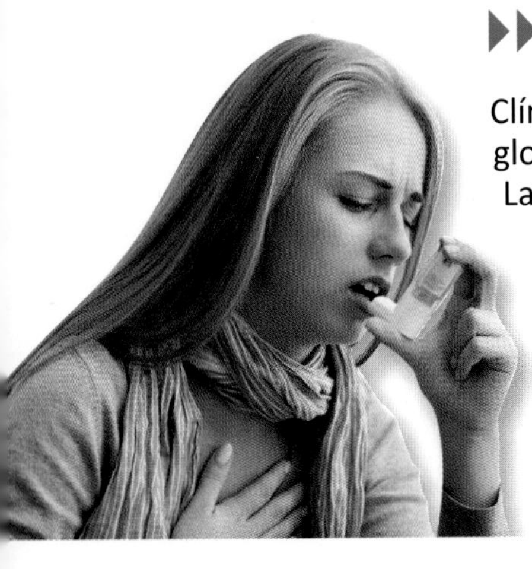

Dificultad respiratoria

Clínicamente se la denomina **disnea**. Es una sensación global de dificultad para respirar, falta de aire y ahogo. Las personas sienten como si no estuvieran recibiendo suficiente aire.
Se asemeja a la sensación de **respiración entrecortada** que percibe cualquier persona cuando sube muchos pisos por escalera y no está entrenada. Sin embargo, la calidad de la dificultad para respirar que se experimenta durante el ejercicio puede ser muy diferente a la referida por las personas asmáticas.

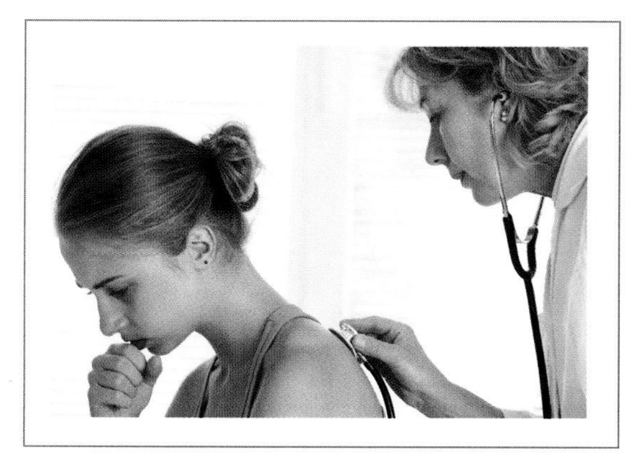

La auscultación pulmonar permite evaluar el flujo de aire en los pulmones.

Accesos de tos

Se produce por una **contracción espasmódica** y repentina de la **cavidad torácica** que genera una liberación violenta del aire de los pulmones. Es una forma de mantener la garganta y las vías respiratorias despejadas. La tos puede ser **seca** o **productiva**, es decir que se arroja moco, también llamado esputo o flema.

Otros síntomas

Además de los tres síntomas más frecuentes, algunas personas asmáticas pueden sufrir otras manifestaciones de este trastorno, entre ellas:

- Opresión en el pecho.
- Dolor torácico.
- Retracción o tiraje de la piel entre las costillas al respirar (tiraje intercostal).
- Patrón de respiración anormal, en el cual la exhalación se demora más del doble que la inspiración.

Señales

La picazón en la garganta o la sensación de fatiga suelen ser señales que anticipan el ataque de asma. Por eso es importante estar atento a este síntoma.

LA TOS SECA

En las persona con asma, la tos es característicamente seca o con escasa expectoración. En muchas ocasiones el único síntoma es una tos seca, no productiva y persistente. Suele manifestarse con mayor intensidad en las primeras horas de la madrugada interrumpiendo el sueño. Se desencadena por la realización de actividad física, o por la exposición al frío o a irritantes ambientales.

La crisis asmática

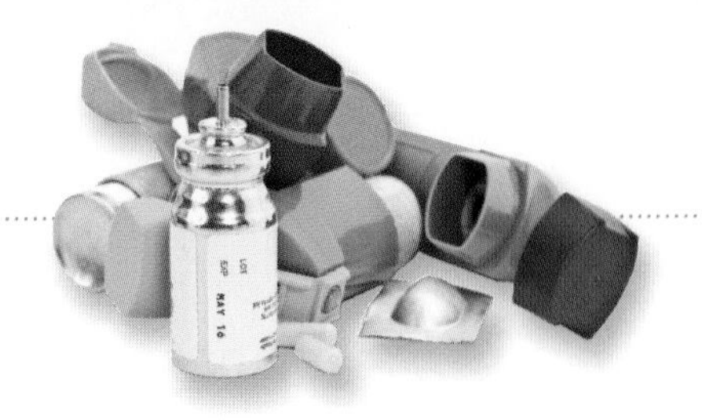

Signos de la crisis de asma

La crisis de asma está determinada por un conjunto de **signos** y **síntomas** que aparecen en forma repentina, con frecuencia por la noche. Aunque es más raro, también su inicio puede ser lento y progresivo hasta expresarse completamente varios días después. Se caracteriza por:

- **Respiración dificultosa**, que en algunas oportunidades obliga a la persona que la padece a permanecer sentado.
- Intensa **sensación de falta de aire** o ahogo.
- **Opresión** en el pecho.
- **Tos seca**.
- **Sudoración**.
- **Sibilancias** que se escuchan claramente.
- **Aleteo nasal**, es decir cuando las fosas nasales se ensanchan al respirar.

Síntomas de emergencia

Cuando una persona que sufre de asma, o un niño que todavía no ha sido diagnosticado, presenta los siguientes síntomas acuda al hospital o centro asistencial con urgencia, o llame al servicio de emergencias médicas a domicilio sin demora.

- Labios y cara de color azulado.
- Somnolencia intensa o confusión.
- Dificultad respiratoria extrema.
- Pulso rápido.
- Ansiedad intensa debido a la dificultad para respirar.
- Sudoración.
- Opresión en el pecho.

Estos son signos de una crisis grave, una demora en la asistencia puede ser mortal.

El mal asmático

El **diagnóstico** de la enfermedad y el cumplimiento del **tratamiento** indicado por el médico son las claves para controlar las crisis de asma. Si no se realizan correctamente se puede presentar una **crisis asmática grave**, también conocida como **mal asmático**, que es un episodio de broncoespasmo agudo. La persona puede presentar **coloración azulada** de la piel y los labios y un gran **agotamiento físico**. En general, se asocia con el tratamiento deficiente o con la automedicación.

Tipos de asma

Método para clasificar el asma

El asma se clasifica según la seriedad del cuadro, para que los profesionales de la salud puedan establecer el tipo de **esquema terapéutico**. Esta clasificación se realiza sobre la base de la **frecuencia**, la **gravedad** y la **persistencia** de los **síntomas** y los resultados de los **exámenes funcionales respiratorios**.

La persona con asma intermitente también debe tener a disposición la medicación indicada para aliviar el ataque de asma.

Asma intermitente

La persona presenta **tos** y **sibilancias** de **poca intensidad** y **corta duración**, frecuentemente desencadenadas por una **infección respiratoria** o la exposición a un **alérgeno**. Tiene 5 o menos episodios al año y de menos de un día de duración, es decir que vive **largos períodos asintomáticos**. Además, se caracteriza por la levedad de los síntomas que no interfieren con el sueño ni afectan la calidad de vida. Durante la etapa sin síntomas el examen clínico y funcional presenta valores normales.

Asma persistente leve

Se caracteriza por **síntomas más frecuentes de tos y sibilancias**, en más de una vez a la semana, con **síntomas nocturnos** más de 2 veces por mes. Se pueden presentar estos malestares durante la realización de actividad física.

Asma persistente moderado

Se incluye a las personas que tienen **síntomas diarios**, con crisis que afectan la actividad y el sueño, y se presentan más de una vez a la semana. Son personas que han tenido que realizar consultas en los servicios de urgencia y sus estudios médicos, como la **espirometría**, tienen un resultado **anormal**.

Asma persistente grave

La persona que lo padece presenta **síntomas diarios**, el **sueño** es **entrecortado** por la tos y la fatiga. Tiene también una **limitación** para realizar **actividad física** y, en el caso de los niños, se puede ver afectado el **crecimiento**. Son personas con antecedentes de internación por esta enfermedad.

CLASIFICACIÓN DEL ASMA

Características	Asma intermitente	Asma persistente leve	Asma persistente moderado	Asma persistente grave
Distribución	65%	20%	10%	5%
Frecuencia de la crisis	Episódicas	Semanales	Frecuentes	Frecuentes y graves
Tolerancia al ejercicio físico	Buena	Buena	No	Síntomas ante el mínimo esfuerzo
Tratamiento preventivo farmacológico	No	Sí	Sí	Sí
Seguimiento	Clínico	Clínico con interconsultas a especialistas	Clínica con consultas con neumología	Seguimiento por especialista

Fuente: Adaptado de Abordaje Integral de las Infecciones Respiratorias Agudas. Ministerio de Salud de la Nación, Argentina.

El asma ocupacional

Ocupaciones de riesgo

Los trabajadores que presentan mayor riesgo de sufrir asma ocupacional pertecen a las siguientes categorías:

- Panaderos.
- Carpinteros.
- Operarios de la industria química.
- Granjeros.
- Trabajadores de silos de granos.
- Trabajadores de laboratorios (especialmente los que trabajan con animales).
- Personas que trabajan con metales.

Trabajos insalubres

El **asma ocupacional** o de origen **laboral** es un trastorno pulmonar, en el cual **sustancias** que se encuentran en el lugar de trabajo provocan que las vías respiratorias de los pulmones se inflamen y se estrechen. Determinadas actividades, por las **materias primas** o elementos con los que se realizan, pueden desencadenar **síntomas de asma**. Los desencadenantes más comunes: son el **polvo** de la **madera**, el de **granos**, la **caspa** de animales, **hongos** o **químicos**.

El asma es la enfermedad ocupacional más frecuente en los países industrializados y se estima que es la causa de un 15% de los casos de asma en adultos.

Estudios diagnósticos

La función pulmonar

Las pruebas de **función pulmonar** son los estudios clínicos para cuantificar de forma precisa los mecanismos relacionados con la **entrada y salida de aire** de las **vías aéreas**, el **intercambio gaseoso**, la función de los **músculos respiratorios** y la resistencia durante la inspiración y espiración.

Alergias

El diagnóstico del asma comparte métodos utilizados para diagnosticar otras enfermedades alérgicas.

Para qué se mide la función pulmonar

Las pruebas de función pulmonar se realizan para:

- Determinar el origen de síntomas respiratorios como la tos.
- Medir el grado de compromiso pulmonar en enfermedades respiratorias y/o cardiopatías crónicas.
- Evaluar el riesgo quirúrgico en pacientes con enfermedades respiratorias, cirugía torácica o individuos de edad avanzada.
- Evaluar la capacidad pulmonar en las personas fumadoras.
- Medir el grado de entrenamiento en deportistas.
- Monitorear la respuesta al tratamiento.

Un estudio específico para el asma

La espirometría es el estudio más utilizado para confirmar el diagnóstico de asma, controlar la evolución de la enfermedad y monitorear la respuesta al tratamiento. Se indica en adultos y niños mayores de cinco años.

En las personas mayores, la capacidad pulmonar puede verse afectada durante la actividad física intensa.

La detección de alérgenos

El médico puede recomendar otras pruebas si necesita recabar mayor información para llegar al diagnóstico. Una de ellas es la **prueba de provocación bronquial**, que se utiliza para conocer si hay alérgenos que afecten al sistema respiratorio. En adultos, la prueba más empleada se realiza con una **estimulación farmacológica**. Se administra una medicación específica, mediante **nebulización**, y se mide la función pulmonar realizando una espirometría previa y posterior al suministro del fármaco.

Monitoreo en domicilio

Se le provee al paciente de un aparato fácil de manejar, similar a un **espirómetro portátil**, para medir la cantidad de aire que se expulsa en cada espiración. Este monitoreo sirve para determinar si hay un empeoramiento de la **obstrucción respiratoria**, evaluar la respuesta al **tratamiento** o detectar **sustancias** que desencadenan los síntomas del asma.

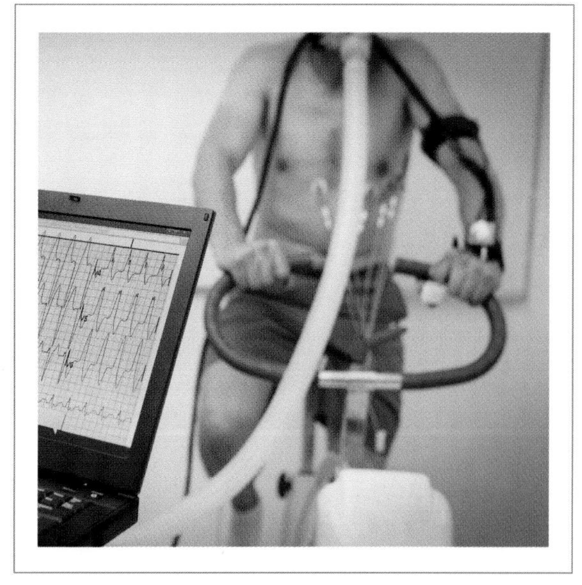

El test de esfuerzo es una prueba valiosa para el diagnóstico del asma, sobre todo para la que se desencadena por la actividad física.

Otras pruebas diagnósticas

Como complemento de los estudios anteriores, se pueden indicar **radiografías de tórax** o un **electrocardiograma**. Estos estudios se llevan a cabo para descartar que los síntomas se deban a la presencia de un **objeto extraño en las vías respiratorias** o a otra enfermedad.

Prick test

Es una prueba específica para diagnosticar alergias que se recomienda realizar a toda persona a la que se le diagnostique asma. Consiste en inyectar en la cara anterior del antebrazo pequeñas dosis de alérgenos (sustancias que producen alergias) y medir la reacción cutánea que provocan. El enrojecimiento indica sensibilidad a esos alérgenos.

La espirometría

Tipos de espirometrías

La **espirometría** es una prueba **no invasiva** que permite conocer el estado de los pulmones, midiendo el aire que la persona es capaz de inspirar y espirar. Se realiza utilizando un aparato sencillo denominado **espirómetro**. Existen dos tipos

- **Espirometría simple**: la persona respira lentamente a través del espirómetro, con inhalaciones profundas y espiraciones plenas. Mide: el volumen de aire que se mueve en los pulmones en un respiración no forzada, el que queda en los pulmones después de una espiración normal, y la cantidad máxima que una persona podría inhalar y expulsar.
- **Espirometría forzada**: la persona inhala al máximo de su capacidad y expulsa todo el aire de una vez, en el menor tiempo posible. Es la que tiene mayor valor diagnóstico, porque permite detectar la llamada capacidad vital forzada –el volumen de aire expulsado en el primer segundo de la espiración- y compararla con la curva de valores normales.

Indicación

La espirometría está indicada cuando existe la sospecha de que la persona sufre una enfermedad pulmonar o para evaluar su evolución.

Qué mide la espirometría

Medición	Características
Volumen corriente	Es la cantidad de aire que se intercambia en cada respiración normal. Suele ser de 0.5 l.
Volumen de reserva	Es el que se puede inhalar o expulsar forzando al máximo la respiración. Es de 3 l más para la inspiración y 1.1 l más para la espiración.
Capacidad vital	Es el volumen de aire total que se puede expulsar partiendo de una inhalación máxima. Resulta de sumar el volumen corriente y los de reserva inspiratorio y espiratorio.

CÓMO FUNCIONA EL ESPIROMÉTRO

▶▶ Una información fundamental

La espirometría no da información sobre el problema pulmonar que sufre una persona, pero sí indica que la **función pulmonar** se encuentra **alterada** con un **patrón obstructivo** (el aire no puede salir) o **restrictivo** (el aire no puede entrar). Y esto es vital tanto para el diagnóstico como para el tratamiento.

¿Es necesaria una preparación previa?

Para realizar la espirometría no es necesario concurrir en ayunas, se puede tomar un desayuno liviano. Hay que evitar fumar, tomar soda o gaseosa y comer chocolate seis horas antes de este examen. Tampoco se puede realizar ejercicio extenuante o exponerse al aire frío 2 horas antes de su realización.

EPOC

La espirometría también se utiliza para diagnosticar la Enfermedad Pulmonar Obstructiva Crónica (EPOC).

El diagnóstico del asma infantil

Síntomas respiratorios y asma

Índice

El índice de predicción del asma permite determinar, a partir de parámetros clínicos, la probabilidad de que el asma en edad preescolar evolucione hacia el asma alérgica en edad escolar.

Muchos niños pequeños que tienen **sibilancias** cuando se resfrían o tienen **infecciones respiratorias**, no llegan a presentar asma. Puede haber otras causas, como tener las **vías respiratorias pequeñas**. En este caso, cuando el niño crece, estos conductos aumentan su tamaño y los problemas ceden.

Un diagnóstico clínico

El diagnóstico del **asma infantil**, sobre todo en los primeros años de vida, es fundamentalmente clínico, esto quiere decir que se hace en función de los **síntomas** y de la **respuesta al tratamiento**. Cuando se trata de niños mayores de **6 años** el diagnóstico y la evaluación sobre la eficacia del tratamiento pueden completarse con **pruebas** para medir la **función pulmonar**.

La espirometría en los niños

Como la espirometría, el estudio más habitual para diagnosticar el asma, es difícil de realizar en **niños menores de 5 años**, en ocasiones se dificulta determinar si un niño pequeño tiene asma u otra enfermedad respiratoria. Por eso los médicos deben basarse en los **antecedentes de salud del niño**, los signos y **síntomas**, y el **examen clínico** para hacer el diagnóstico.

Asma por infección

En los niños pequeños la crisis asmática suele desencadenarse por una **infección** de las **vías respiratorias altas** que se manifiesta por resfrío, mocos, tos escasa y febrícula. A los días de evolución se pueden presentar las **dificultades respiratorias** –sobre todo por las noches- y las **sibilancias** que pueden durar entre 1 día y 2 semanas. Además de los silbidos característicos, se pueden presentar otros síntomas, como tos seca, que con el correr de los días se transforma en tos con secreción. A este conjunto de síntomas los pediatras denominan inicio de **crisis asmática por infección y no por alergia**. Este tipo de asma es la más común en la infancia.

EL DIAGNÓSTICO ANTES DE LOS 3 AÑOS

Está ampliamente aceptado que el asma es la enfermedad crónica más frecuente en la infancia y que se inicia en los primeros años de vida. Para niños menores de 3 años se considera el diagnóstico de asma cuando se presentan 3 o más episodios de tos al año, sibilancias recurrentes y hay factores de riesgo. Un indicador es si estos síntomas mejoran con la administración de broncodilatadores.

Cuándo sospechar que el niño tiene asma

Se debe sospechar que un niño pequeño tiene asma cuando:

- Uno de los **padres** o ambos tienen asma.
- Presenta **indicios de alergias**, entre ellas una enfermedad alérgica de la piel conocida como eczema.
- Tiene **reacciones alérgicas** al polen o a otros alérgenos que se transportan por el aire.
- Presenta **sibilancias** cuando no tiene un resfriado ni ninguna otra infección.

Asma alérgica

El asma alérgica tiende a transformarse en una enfermedad crónica. El asma que perdura más allá de los 6 años de edad suele ser de origen alérgico. Por esto, se deben realizar los estudios adecuados para identificar los tipos de alergenos que pueden estar causando este trastorno para tomar las medidas preventivas adecuadas.

La mayoría de los niños pequeños que tienen sibilancias no padecen asma.

Estornudos

La rinitis alérgica, que puede coexistir con el asma, suele producir una serie de estornudos ante la presencia de sustancias que desencadenan los síntomas.

Cuándo es menos probable que se trate de asma

El diagnóstico del asma infantil es menos probable en caso de que se presenten los siguientes síntomas:

- Presencia de síntomas respiratorios desde el nacimiento.
- Síntomas respiratorios solo en cuadros virales.
- No hay intervalos libres de síntomas.
- Hay episodios de tos pero sin dificultad para respirar.
- Tos brusca durante la alimentación o el juego.
- Catarro crónico.
- Vómitos frecuentes.

▸▸ Rinitis alérgica y asma

Los niños y adultos con rinitis alérgica tienen mayor riesgo de desarrollar asma. La rinitis alérgica es una patología caracterizada por la **inflamación crónica de la mucosa nasal**, que se manifiesta por uno o más de los siguientes síntomas: hidrorrea (agüita que gotea por la nariz), estornudos, picazón de nariz, ojos y paladar, obstrucción nasal, pérdida del olfato y lagrimeo. Además, entre un 75% y un 80% de los individuos con asma padece rinitis. La rinitis y el asma con frecuencia coexisten en una misma persona.

Derribando Mitos

"No me preocupo por el asma porque de esta enfermedad nadie se muere."

Años atrás, se consideraba que los casos de muerte por asma eran producto de la sobredosis o intoxicación por exceso de ingesta o de inhalación de las drogas que se suministraban para el tratamiento, y no por no tratar la enfermedad.
Actualmente, se sabe que el asma puede llevar a la muerte si no es diagnosticada y tratada correctamente. Esto se refleja, como señala la Organización Mundial de la Salud, en que más del 80% de las muertes por asma tienen lugar en países de ingresos bajos.

¿Cómo se trata?

El tratamiento del asma involucra medidas tanto para controlar la enfermedad como para superar las crisis. El médico será quien indicará y realizará el seguimiento de la terapia farmacológica según las condiciones de cada paciente.

Además del componente farmacológico, el tratamiento del asma implica la **educación del paciente** para el **conocimiento** y **vigilancia** de su **enfermedad**, y medidas para el **control ambiental**. La persona afectada deberá aprender a reconocer los **desencadenantes medioambientales** que favorecen la inflamación bronquial, para así saber cómo evitarlos.

▸▸ Estrategias terapéuticas

El tratamiento supone **medidas de prevención** para evitar los **desencadenantes**. Las estrategias terapéuticas tienen entre sus **objetivos:** controlar los síntomas; prevenir las crisis asmáticas; mantener la función pulmonar normal; evitar los efectos adversos de la medicación y llevar una vida saludable.

Terapias farmacológicas

▸▸ El tratamiento preventivo

Existen diferentes **drogas** que se utilizan para **prevenir los síntomas** del asma. Tienen como función principal **evitar la obstrucción bronquial**. La mayoría de estos fármacos tiene una **acción antiinflamatoria**.

QUÉ EFECTOS TIENEN LOS CORTICOIDES

Cuando estos medicamentos son administrados regularmente no poseen efecto broncodilatador, pero mejoran la función pulmonar y disminuyen la hiperreactividad bronquial a largo plazo. El uso prolongado de corticoides permite disminuir la frecuencia y la gravedad de los síntomas y de las exacerbaciones, mejorando la calidad de vida de los pacientes.

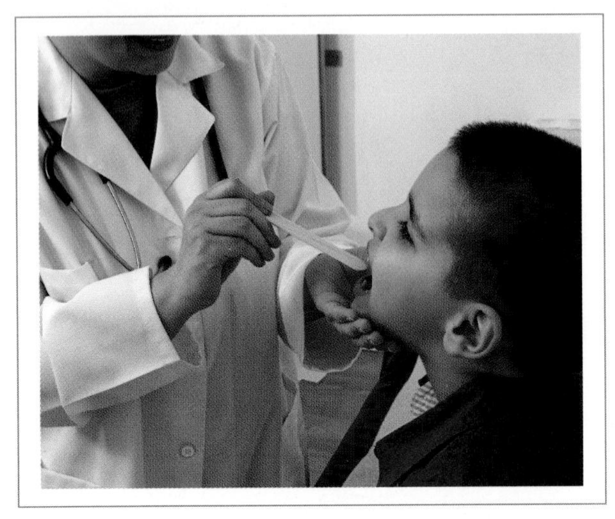

El examen clínico periódico ayuda a prevenir el desencadenamiento de crisis asmáticas por otras enfermedades como resfríos.

▸▸ Los corticoides

Las drogas antiinflamatorias más potentes y efectivas para el tratamiento de esta enfermedad son los **corticoides**. Estos fármacos generalmente son de **uso inhalatorio**. Los corticoides más usados en la actualidad son la **budesonida** y la **fluticasona** y, en menor medida, el **dipropionato de beclometasona**.
Este útimo se receta en casos de **asma persistente.** El profesional de la salud suele iniciar con la dosis lo más baja posible para ir evaluando los resultados. El tratamiento debe realizarse al menos por **6 meses** y las dosis se van regulando de acuerdo a la gravedad y evolución de la enfermedad, la respuesta del paciente y al criterio del médico tratante.

Medicamentos para la crisis asmática

Los broncodilatadores

Son los medicamentos indicados para la crisis asmática. El más utilizado para esta función es el **salbutamol**, un **potente broncodilatador** que se utiliza por **vía inhalatoria**. Se presenta en forma de **aerosol** o **solución** para **nebulizar**. Tiene una acción rápida, el inicio de la broncodilatación se produce a los pocos minutos y dura entre 4 a 6 horas luego de su administración.

Un fármaco muy eficaz

El salbutamol es el fármaco de elección para el tratamiento de las exacerbaciones. También es eficaz para prevenir la **obstrucción bronquial** inducida por **ejercicio**. Pueden presentarse algunos efectos secundarios, como taquicardia, temblor o cefaleas, aunque cuando se utiliza por vía inhalatoria estos son escasos.

Cómo se administran

La **dosis** y **frecuencia** de administración de estos fármacos varía en función de la severidad de la crisis, lo que debe ser indicado y supervisado por el médico. Si esta medicación no brinda un alivio de los síntomas se debe consultar a la brevedad con un servicio médico.

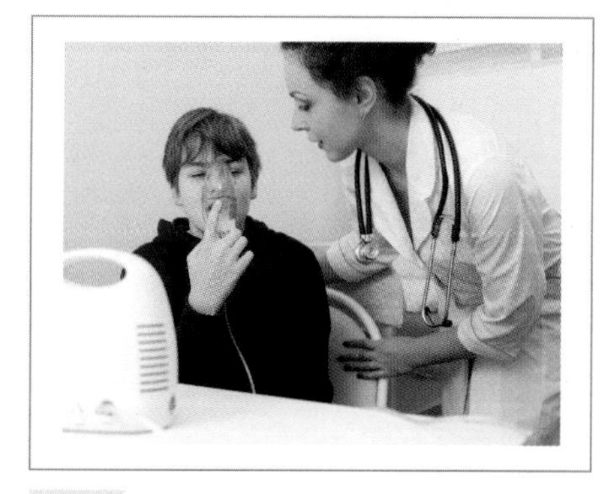

El efecto en las vías aéreas

Estos medicamentos actúan principalmente por la dilatación de las vías aéreas al relajar el músculo bronquial y así revierten los síntomas del asma. Por esto se denominan fármacos de rescate o broncodilatadores.

El método de elección para la administración es el aerosol de dosis medida con espaciador o aerocámara.

LAS NEBULIZACIONES

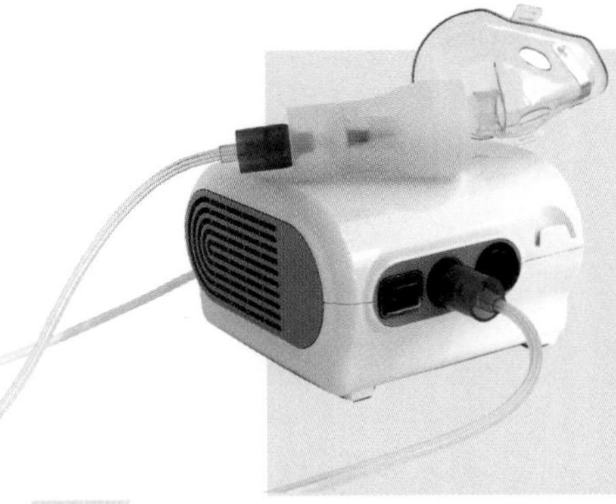

Nebulizador

Es un aparato eléctrico que convierte el agua y/o una medicación específica en una niebla fina que se inhala por los pulmones. Posee una mascarilla facial y un tubo que se conecta al aparato. Algunas medicaciones para el asma pueden ser administradas bajo esta modalidad.

Antes de comenzar lavarse muy bien las manos.

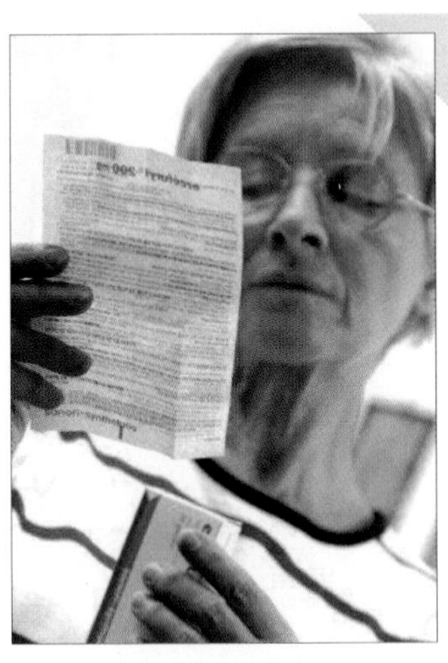

Leer cuidadosamente las instrucciones del médico y el prospecto del fármaco respecto a la dosis, modo de preparación, forma de colocación en el equipo y tiempo de nebulización.

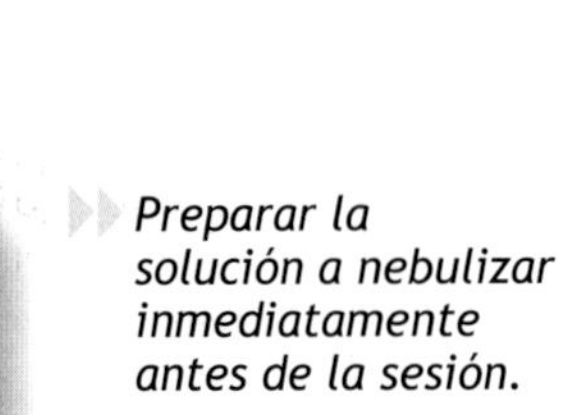

Preparar la solución a nebulizar inmediatamente antes de la sesión.

Ajustar la mascarilla o la boquilla en la cara o en la boca.

Encender el aparato.

Durante la nebulización la persona o el niño debe estar sentado, sin hablar, respirando normalmente.

Es importante lavar muy bien el nebulizador luego de cada uso.

Uso correcto de los inhaladores

Para obtener los mejores resultados de una medicación que se administra bajo este método es importante que los aerosoles sean bien utilizados.

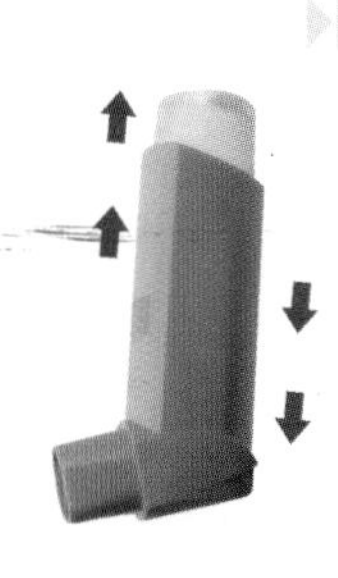

Sacudir muy bien el inhalador, colocándolo hacia arriba. Colocar la cabeza levemente hacia atrás y expulsar el aire lentamente.

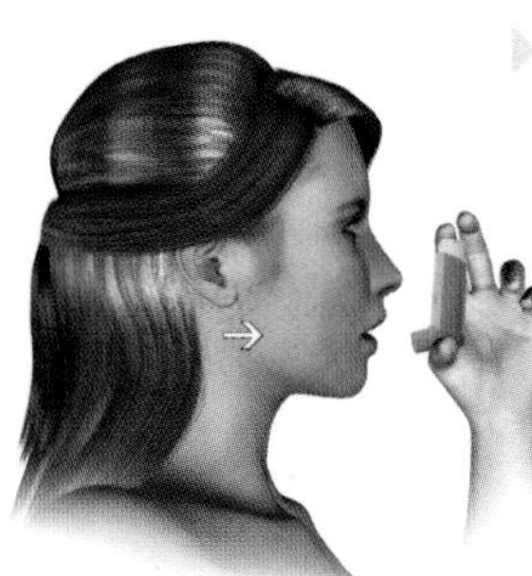

Colocar el inhalador, en una de las siguientes posiciones:
a) Boca abierta y el inhalador de 2 a 5 cm de la boca.
b) Usando un espaciador.
c) Cerrando los labios alrededor de la boquilla.

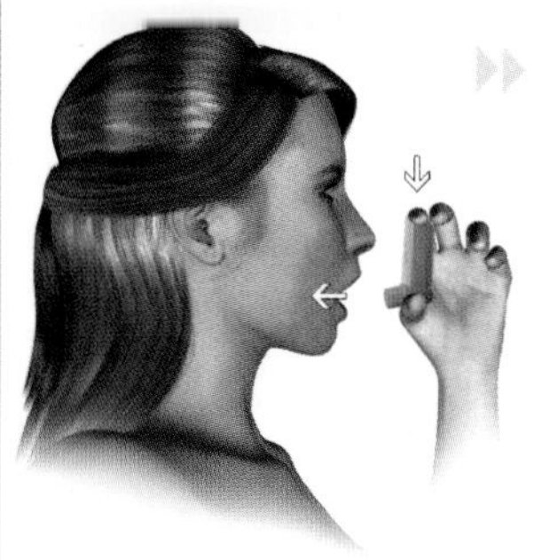

Presionar el inhalador para que libere la medicación, en el momento en que comienza la inhalación. La inspiración debe ser lenta y profunda.

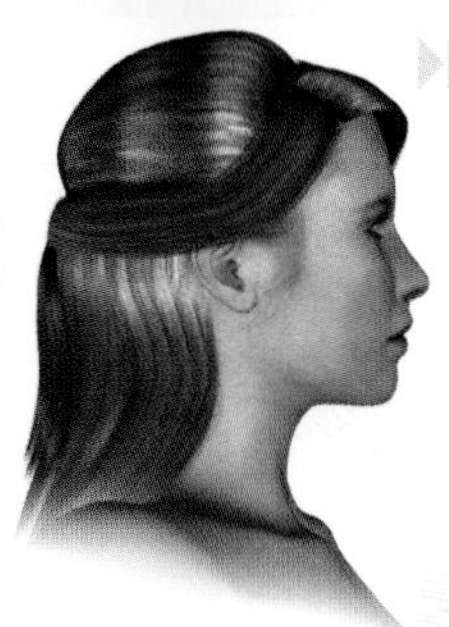

Retener la inspiración durante unos 10 segundos para permitir que la mediación llegue a los pulmones. Si es necesario realizar un segundo disparo hay que esperar un minuto para que llegue mejor a los pulmones.

Los espaciadores

Qué es un espaciador

Un espaciador es un **dispositivo** que **facilita** el uso de un **inhalador** y aumenta su eficacia. Uno de sus extremos se conecta al inhalador y el otro a una **boquilla** o una **máscara**. Cuando el inhalador libera el medicamento en el espaciador, este queda retenido en el interior de la cámara hasta que es inhalado lentamente a través de la máscara o la boquilla. No es necesario lograr la coordinación que exige el uso de un inhalador.

En qué casos está indicado

En los **niños menores**, en **adultos mayores** y en aquellos que no coordinen adecuadamente la inspiración con el disparo del aerosol se sugiere el uso de **espaciadores** o aerocámaras.

Espaciadores y aerocámaras

Espaciador	Es un tubo que fija una distancia entre la boca de la persona y la boquilla del inhalador
Aerocámara	Es un dispositivo con al menos una válvula que retiene el contenido emanado del aerosol hasta que el paciente inhale. Tiene más eficacia que el espaciador.

Distribución del medicamento

El espaciador ayuda a **liberar la medicación** en las **vías aéreas**, no en la **boca** o la **garganta**, donde puede actuar mejor y provocar menos efectos secundarios. Por lo tanto, es de gran utilidad para la administración correcta de drogas indicadas para el tratamiento del asma y otras afecciones respiratorias.

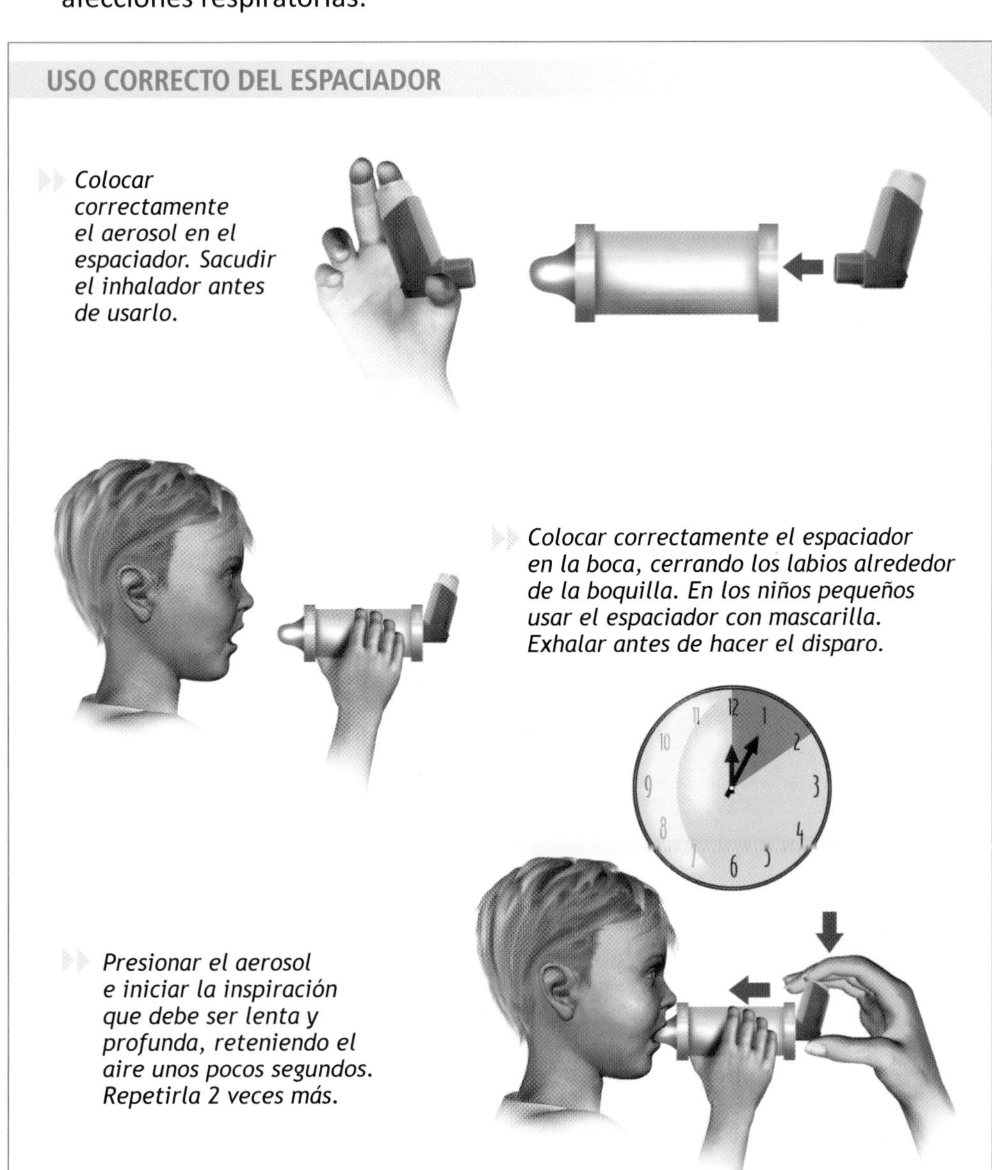

Otros tratamientos

Medición del flujo espiratorio

El flujo espiratorio pico es la **cantidad máxima de aire por segundo** que puede ser expulsada de los pulmones, soplando durante la primera parte de la espiración. Es una medida que ayuda a verificar el grado de control del asma. Para medirlo se emplea un dispositivo específico.

Prueba

Esta prueba puede realizarla el médico en su consultorio o el paciente en su casa. La medición domiciliaria está indicada en pacientes con asma grave.

Qué indica esta medida

Medir el flujo espiratorio le permite al médico conocer el grado de **control** y la **evolución del asma** y definir el tratamiento. Los valores normales dependen de la edad, altura y sexo. En los pacientes con asma estos valores pueden estar **disminuidos**, en especial durante una **crisis asmática**. Conocer el mejor valor personal de flujo espiratorio y medirlo diariamente ayuda a:

- Identificar factores que aumentan las crisis (exposición a determinados alérgenos).
- Conocer al grado de obstrucción bronquial y si se ha agravado o mejorado en los últimos días.
- Realizar cambios en el tratamiento.

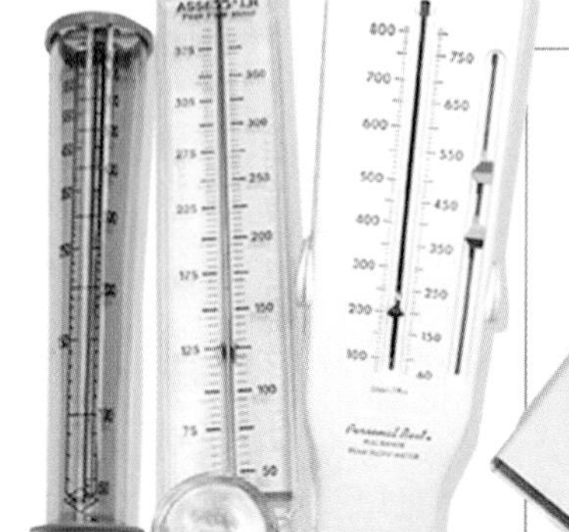

¿Cómo se mide el flujo espiratorio?

- Permanecer de pie.
- Ajustar la boquilla al dispositivo.
- Colocar la aguja medidora en el 0.
- Sujetar el medidor en posición horizontal.
- Inhalar profundamente.
- Colocar el dispositivo dentro de la boca, entre los dientes, con los labios cerrados sobre la boquilla.
- Soplar lo más fuerte y rápido (exhalación forzada).
- Leer el registro obtenido.
- Colocar el indicador a cero.
- Repetir los pasos anteriores otras dos veces.
- Anotar el valor más alto de las tres mediciones.

Vacunas antialérgicas

Un tratamiento complementario

En algunos casos, especialmente en personas con **asma leve**, el médico puede recomendar un tratamiento que incluya la **aplicación de vacunas antialérgicas** para disminuir los síntomas que producen determinados alérgenos. Estas vacunas suelen ser **inyectables** y contienen una pequeña cantidad de la sustancia que causa la reacción, como moho, ácaros, polen o caspa de animales.

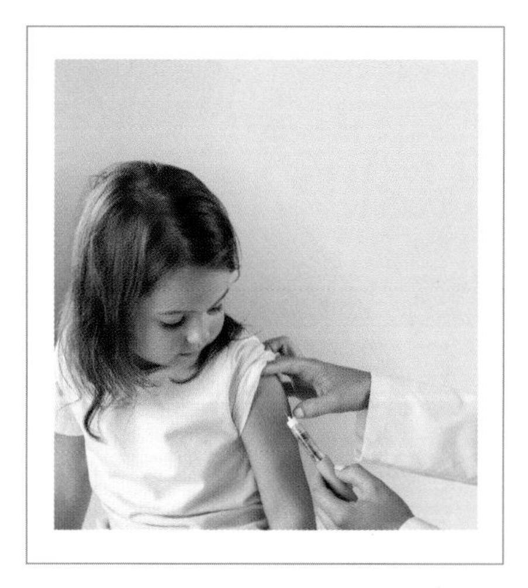

DÍA MUNDIAL DEL ASMA

El primer martes de mayo de cada año se celebra el Día Mundial del Asma por decisión de la Organización Mundial de la Salud y la Iniciativa Mundial contra el Asma (GINA, por sus siglas en inglés). Se conmemora desde 1998 con el objetivo de concientizar y brindar información sobre esta enfermedad.

En qué consiste

En general, es en un **tratamiento a largo plazo** con la aplicación de **varias dosis**. Aunque se llaman vacunas, su efecto no es prevenir la enfermedad, sino **disminuir** los **síntomas** y evitar complicaciones.
El especialista en alergias previamente hará un estudio para determinar a qué sustancia la persona es susceptible. Esta prueba consiste en introducir una pequeña cantidad del alérgeno en la piel a través de una raspadura o pinchazo. Cuando existe alergia aparece en la zona una pequeña **protuberancia**.

Tolerancia a alérgenos

Este tipo de vacunas ayudan al organismo a desarrollar una tolerancia a los alérgenos para que se reduzcan o desparezcan las **reacciones alérgicas** que provocan. Se va dando una mejoría progresiva de los síntomas de la enfermedad, por lo tanto, la necesidad de los medicamentos indicados para el alivio o control de las exacerbaciones será menor.

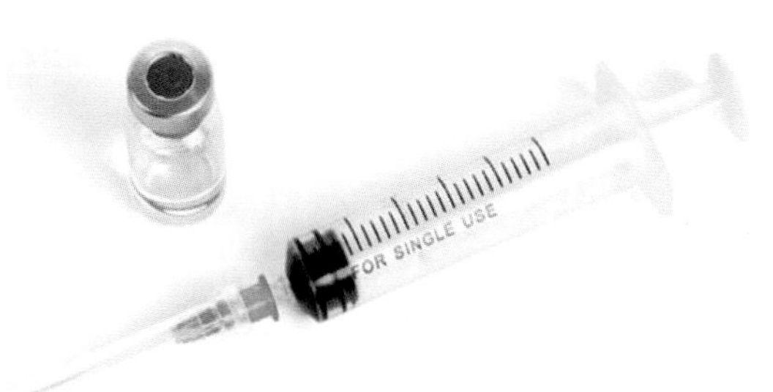

Vacuna antigripal

Se recomienda que las personas asmáticas, como todos los que padecen una enfermedad respiratoria crónica, reciban todos los años la vacuna antigripal. Es importante que la aplicación sea antes del invierno ya que las defensas se producen luego de 10 a 14 días. Además, se debe aplicar una dosis al año dado que las cepas que incluye esta vacuna se van modificando, y esta inmunización es por 6 a 12 meses solamente.

Los posibles riesgos de estas vacunas

Este tipo de tratamiento es **seguro** si se administra de manera correcta. Se debe hacer en un consultorio que tenga las condiciones para brindar **asistencia inmediata** en caso de reacción grave, llamada **anafilaxis**. Esta es rara, pero lo que sí puede ocurrir son **reacciones menores** como **urticarias** y **enrojecimiento** de la piel. Como la mayoría de las reacciones ocurren dentro de los **30 minutos** de inoculado el alérgeno, la persona debe permanecer en el consultorio hasta que pase ese lapso.

Cuándo están contraindicadas

Las vacunas antialérgicas no deben aplicarse a **niños menores de 5 años**. Tampoco a personas que no tengan el asma bajo control. Las reacciones tardías pueden ocurrir hasta 24 horas después de la aplicación. En ese caso se debe informar de inmediato al médico, ya sea que se trate de reacciones locales o de reacciones corporales generales como dificultad para respirar.

Derribando Mitos

"Creo que los corticoides son peligrosos."

Bajo un estricto control médico los corticoides son muy efectivos y tienen pocos efectos secundarios. Además, los corticoides en aerosol, que se utilizan para el tratamiento del asma, actúan directamente sobre las vías respiratorias y no producen los efectos no deseados de los que se administran en comprimidos o ampollas.

¿Se puede prevenir?

El asma no se puede prevenir debido a que quienes sufren esta enfermedad tienen una predisposición determinada. Sin embargo, se pueden tomar medidas para evitar que aparezcan los síntomas.

Existen muchos **genes** que juegan un rol importante en el **asma**, pero todavía no se ha podido identificar cuál de ellos es el principal en favorecer el desarrollo de esta enfermedad. Los estudios indican que el asma es más común entre **hijos** de **padres asmáticos**, pero esta no es una regla determinante.

▶▶ Factores de riesgo

Ciertos **factores genéticos** y **ambientales** interactúan para causar el asma, generalmente en los primeros años de vida. Estos factores son:

- Tendencia **hereditaria** a presentar **alergias**.
- Presencia de **asma** en el **padre** o la **madre**.
- Ciertas **infecciones respiratorias** durante la infancia, momento en que el sistema inmunitario se está desarrollando.
- Contacto con **alérgenos**.

Factores desencadenantes

▶▶ Cómo actúan

Son elementos que provocan **exacerbaciones de los síntomas del asma**, causando **inflamación** o **estrechamiento** de las **vías aéreas**. Estos factores pueden variar de una persona a otra, o en un mismo individuo según determinadas condiciones y momentos.

Padres asmáticos

Aunque el componente genético es importante, no todos los hijos de padres asmáticos padecen la enfermedad.

▶▶ Factores ambientales

Existen ciertos factores ambientales que favorecen o reducen las posibilidades de que una persona padezca asma. El factor ambiental de mayor riesgo para el desarrollo del asma es **la exposición a alérgenos** como: **ácaros**, **polvo**, **pelo** de animales y **polen**, entre otros.

▶▶ Cómo prevenir los síntomas

Aunque el asma como enfermedad no puede prevenirse, sí se puede **evitar** o controlar el desencadenamiento de los **síntomas**. Algunas medidas eficaces de **prevención** son:

1. Informarse sobre la enfermedad y la manera de controlarla.
2. Seguir el **tratamiento** indicado por el médico.
3. Realizar **controles** periódicos.
4. Identificar y tratar de evitar los **desencadenantes** que empeoran los síntomas del asma.

Cuidado con las alergías

Se sabe que uno de los desencadenantes del asma es la alergia. Un alérgeno es una sustancia que, cuando ingresa en el organismo, puede producir una reacción de hipersensibilidad (alergia) en determinadas personas.

Los principales alérgenos

▸▸ El polen

El polen es una sustancia similar a un **polvo fino** que producen las **flores** y plantas con semillas. Causa generalmente **alergias** estacionales, sobre todo durante la primavera. En las personas con asma puede **exacerbar los síntomas**.

▸▸ Medidas para evitar el contacto con el polen

Es importante que las personas asmáticas sean conscientes de los perjuicios causados por el polen y, de manera responsable, **eviten** el **contacto** con esta sustancia. Algunas **medidas** para lograrlo son:

- Limitar las actividades al aire libre en épocas de alta concentración de polen (especialmente en las primeras horas del día y las últimas de la tarde) y en días soleados o con viento.
- Mantener cerradas las ventanas de la casa y del automóvil durante el día en primavera.
- Mantener el césped corto para reducir al mínimo la floración. Asegurarse de que el jardín esté libre de malezas.

CON LA AYUDA DEL CELULAR

Existen aplicaciones para los celulares que alertan diariamente sobre los niveles de polen en una determinada ciudad. Estas herramientas resultan muy útiles para las personas asmáticas, ya que aumentan las posibilidades de evitar el contacto con este alérgeno.

EL POLVO Y LOS ÁCAROS

El polvo y los ácaros son los principales causantes de alergias dentro del hogar, por esto es muy importante saber cómo combatirlos.

Polvo es el nombre habitual que se le da a todas las pequeñas partículas que se acumulan en las superficies. Puede estar compuesto por tierra, arena y muchos otros elementos.

Guardar la ropa en armarios limpios y con puertas.

Evitar las cortinas pesadas, utilizar las que son fáciles de lavar.

Evitar colocar alfombras en los pisos. Si no es posible, aspirarlas y limpiarlas con frecuencia.

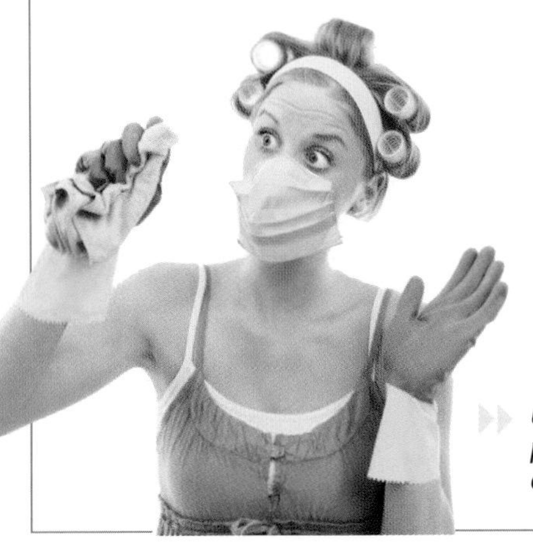

Utilizar un paño húmedo para limpiar el polvo. Durante la limpieza utilizar barbijo o mascarilla.

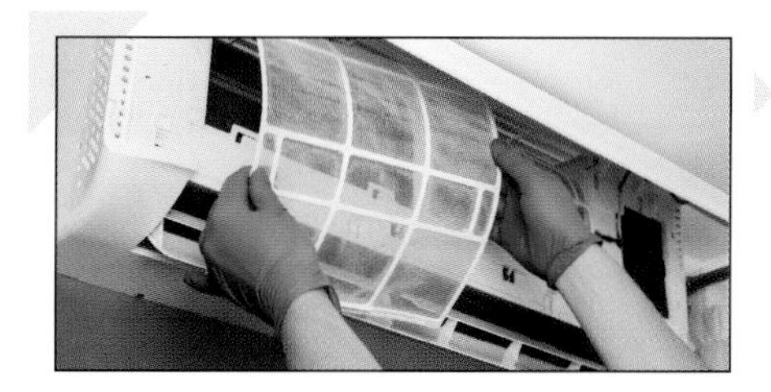

Limpiar regularmente el filtro de los aparatos de aire acondicionado.

Los ácaros son insectos muy pequeños, que no se pueden ver a simple vista. Se alimentan preferentemente de las células muertas de la piel humana y se desarrollan en ambientes cálidos y húmedos.

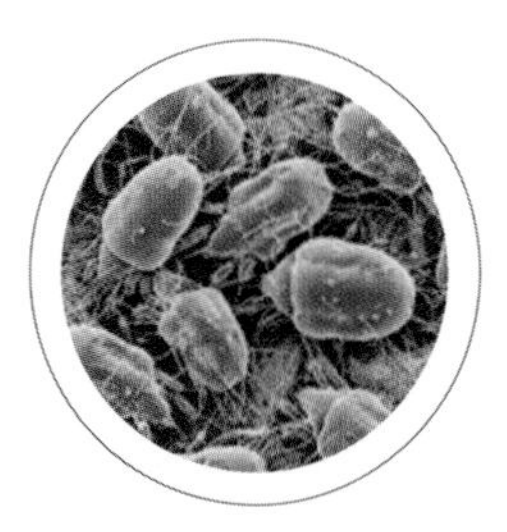

Los ácaros se encuentran en el polvo y, especialmente, en los colchones, almohadas, alfombras, cortinas, muebles tapizados, peluches y en los acolchados.

Lavar la ropa de cama en agua caliente, por lo menos dos veces al mes.Ventilar los ambientes diariamente y permitir la entrada del sol. Evitar el uso de alfombras en los dormitorios.

Airear el colchón o exponerlo directamente al sol cada tres meses. Cambiar la almohada cada 2 años.

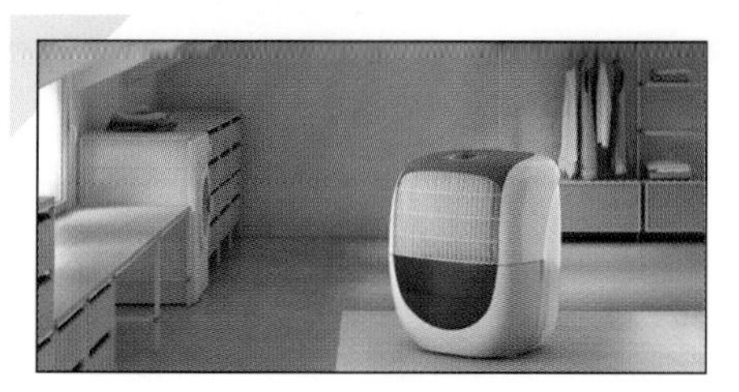

Reducir la humedad del aire de la casa. Los deshumidificadores y los sistemas de aire acondicionado son útiles para este fin.

Evitar los muñecos de peluche en la cama. Lavarlos una vez por semana con agua caliente.

Otros factores de riesgo

Los animales

Contrariamente a lo que se suele pensar, lo que desencadena la alergia no es el pelo del animal sino una **proteína** que se encuentra en la **caspa del animal doméstico** (escamas de piel) y la **saliva**. Aunque la mascota tenga pelo corto y se mantenga limpia, puede causar alergia. Son frecuentes las alergias a los gatos, perros, hámsters, caballos y otros animales domésticos.

Cómo convivir con las mascotas

Salvo en casos extremos, las personas asmáticas pueden tener **mascotas**, aunque deben tomar ciertos **recaudos**. Entre las recomendaciones para una convivencia sana con animales en casa se encuentran:

- No permitir que la mascota ingrese al dormitorio o a la cama.
- Eliminar las alfombras y los muebles tapizados en tela de la casa, o bien mantener a los animales alejados de estos lugares.
- Lavarse las manos y cambiarse la ropa luego de estar en contacto con un animal.

FILTROS CONTRA EL POLVO

Existen unos filtros para aires acondicionados y purificadores de aire denominados HEPA (del inglés High Efficiency Particle Arresting, o recogedor de partículas de alta eficiencia) que ayudan a retirar la mayoría de las partículas perjudiciales, como el moho, el polvo, los ácaros, la caspa de las mascotas y otros alérgenos irritantes del aire.

El moho

El moho es un **hongo** común que se encuentra en **lugares húmedos** y con **poca luz**, como baños, armarios, sótanos, cocinas y zonas que no reciban la luz del sol. Se recomienda para las personas asmáticas:

- Mantener una limpieza minuciosa de las áreas en donde se puede desarrollar el moho.
- Ventilar la casa diariamente y permitir el ingreso del sol, si es posible.
- Limpiar las superficies mohosas con lavandina diluida en agua.
- Pintar la casa con pinturas antihongo.
- Reparar las canillas o las tuberías que goteen o que tengan fugas, y otras fuentes de agua que acumulan moho.
- Evitar dormir en sótanos.
- Suprimir las plantas de interior en el dormitorio y reducir al mínimo las plantas en el resto de la casa.

El tabaco

El tabaco es un desencadenante para muchas personas que tienen asma, no solo para los fumadores sino también para quienes conviven en ambientes con humo de cigarrillo. La exposición al humo de otra persona (llamado tabaquismo pasivo o indirecto) provoca ataques de asma, particularmente en los niños.

Humo

A pesar de abrir las ventanas, el humo de un cigarrillo puede permanecer hasta 2 semanas en un ambiente cerrado donde se ha fumado.

Más peligroso para los niños

Los niños respiran más rápido que los adultos y aspiran más productos químicos nocivos por kilogramo de peso, por esto la exposición al humo de tabaco en el ambiente es particularmente dañina para ellos. Los niños expuestos al humo en sus hogares tienen mayor riesgo de tos crónica, disminución de la capacidad de sus pulmones, más episodios de asma, bronquitis, neumonía y otitis.

Ambientes libres de humo

El **humo del cigarrillo** es muy dañino para la salud de todas las personas, más aún para las que padecen asma. Algunas medidas para evitar sus **efectos nocivos** son:

- Mantener los **ambientes libres de humo de tabaco**. No permitir que se fume dentro de la casa, la oficina o el auto.
- Los fumadores deben intentar abandonar el hábito. Hay muchas opciones para **dejar de fumar**, pero todas dependen de la voluntad de la persona para hacerlo. Hay que tener en cuenta que, en ocasiones, se debe hacer más de un intento hasta lograrlo.
- Los fumadores **no deben fumar en la casa de una persona asmática**. En caso de usar algún abrigo, este deberá dejarse en otro ambiente, debido a que las sustancias nocivas del tabaco se impregnan en la ropa.

RECOMENDACIONES PARA LAS PERSONAS ASMÁTICAS

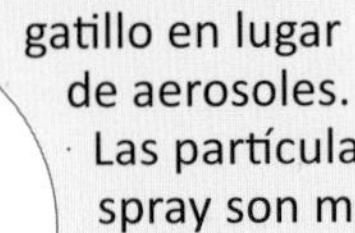

- No usar estufas u hogares a leña ni calentadores a querosene.
- Evitar los aerosoles de limpieza perfumados. Utilizar los rociadores de gatillo en lugar de aerosoles. Las partículas del spray son muy finas y fácilmente inhaladas, y pueden irritar los bronquios.

- Salir del hogar, escuela o lugar de trabajo mientras se realizan tareas con pinturas o productos químicos.

- Si se trabaja con pintura u otros productos químicos se debe utilizar mascarillas.

Los contaminantes del aire

Existen otras sustancias que contaminan el aire y actúan como desencadenantes del asma. Algunos de ellos son: el humo de los **hogares a leña**, los calentadores de **querosene** y **estufas a gas**, los **gases industriales** y de escapes, la **pintura fresca**, los **productos de limpieza** utilizados en el hogar, **perfumes** y **desodorantes**, y los gases que emanan productos utilizados para el arte o en la confección de artesanías, como **pegamentos** y óleos, entre otros.

Los medicamentos peligrosos

Ciertos medicamentos como la **aspirina**, los beta-bloqueantes (indicados en trastornos cardíacos) y **antiinflamatorios no esteroideos** (como el ibuprofeno) pueden desencadenar crisis asmáticas. Es por eso que las personas con asma tienen que consultar a su médico antes de consumir cualquier tipo de remedio, aunque parezca que no tiene relación con el asma.

El humo del cigarrillo puede disminuir la capacidad respiratoria de los más pequeños y predisponer al asma.

Enfermedades respiratorias

El asma empeora durante las **infecciones respiratorias**, como la **gripe**, la **sinusitis** o el **resfrío**. Es muy importante que los asmáticos eviten contraerlas. Las principales **medidas preventivas** para las infecciones respiratorias son:

- Lavarse las manos con agua y jabón con frecuencia, especialmente después de volver de la calle.
- Evitar el contacto con personas enfermas.
- Ventilar los ambientes y permitir la entrada del sol.
- Evitar cambios bruscos de temperatura.

Se recomienda consultar con el médico acerca de las vacunas que se pueden aplicar, como la antigripal.

Se recomienda tener siempre a mano los medicamentos broncodilatadores para aliviar síntomas repentinos del asma.

Aspirina

La aspirina puede desencadenar una crisis de obstrucción bronquial en hasta el 20% de las personas con asma.

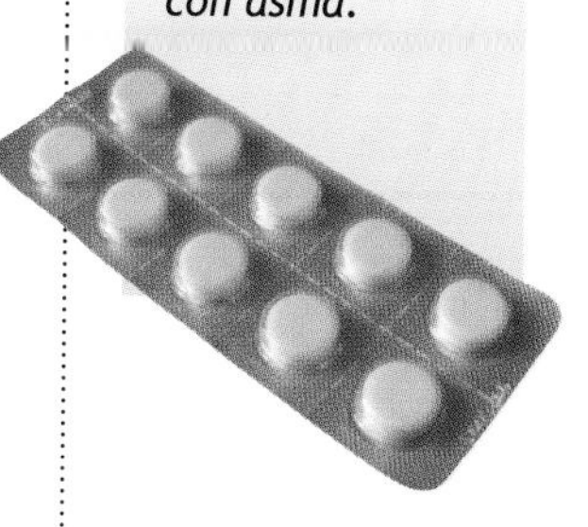

Los asmáticos pueden realizar actividad física siempre tomando los recaudos necesarios para evitar que se desencadene una crisis.

Asma y teoría de la higiene

Existe una teoría, denominada de la higiene, según la cual estar en contacto con microorganismos de circulación habitual desde edades tempranas puede ayudar a prevenir el desarrollo de enfermedades alérgicas y del asma. Los datos parecen confirmarla.
La **prevalencia de asma y alergias** aumenta cada año y los casos son más frecuentes en los **países** más **desarrollados** e **industrializados**. Se ha demostrado que las personas que viven en **granjas** o medios rurales, pertenecen a **familias numerosas**, asisten a **guarderías** o están en contacto con animales tienen un **riesgo inferior** de desarrollar asma y rinitis alérgica.

Derribando Mitos

"Las personas con asma no pueden hacer ejercicio físico."

Si bien algunas personas experimentan crisis asmática cuando realizan ejercicio físico, esto no es así en todos los casos y, además, existen formas de evitarla. En consulta con el profesional que lleva adelante el tratamiento se puede elegir el tipo de actividad física más acorde para prevenir la aparición de los síntomas. La natación y los ejercicios que se desarrollan en el agua, así como los deportes en equipo que permiten momentos de relajación, son los más adecuados para una persona asmática.

Vivir bien con asma

El asma es una enfermedad crónica. Sin embargo, la mayoría de las personas que logran identificar los desencadenantes y siguen el tratamiento indicado pueden llevar adelante una vida normal.

Como toda **enfermedad crónica**, el asma acompañará a la persona durante toda la vida. Si es detectada en la niñez serán los padres quienes supervisarán la salud de su hijo. A partir de la adolescencia la persona asmática será la responsable de **controlar** su enfermedad. Si se sigue el **tratamiento**, se puede tener una vida saludable, igual a la de cualquier otra persona.

Conocer para prevenir

Es importante que tanto los adultos que padecen asma como los padres de los niños asmáticos conozcan muy bien los **desencadenantes** para poder **prevenir** las **crisis**. También resulta fundamental poder identificar los primeros síntomas de las obstrucciones **bronquiales** para actuar con inmediatez y lograr controlarlas.

Signos para identificar las crisis

Medidores

Un medidor de flujo espiratorio máximo es un instrumento muy útil parar conocer si se está por desencadenar una crisis asmática.

Cuando comienzan a obstruirse los bronquios aparecen algunos **cambios físicos** que indican que está por producirse un brote. Conocer estos **signos** e interpretar correctamente las señales que da el cuerpo, tanto para el paciente como para sus familiares, permite actuar con rapidez y, de esa manera, **evitar** que se desencadene la **crisis asmática**.

Principales señales de alarma

Los signos de alarma varían de una persona a otra y pueden ser los mismos o diferir entre distintas crisis en una persona. Sin embargo, el asmático o su familia deben estar alertas cuando empieza a aparecer:

- Tos seca.
- Respiración rápida o irregular.
- Fatiga.
- Silbidos.
- Tos nocturna que no permite conciliar el sueño.

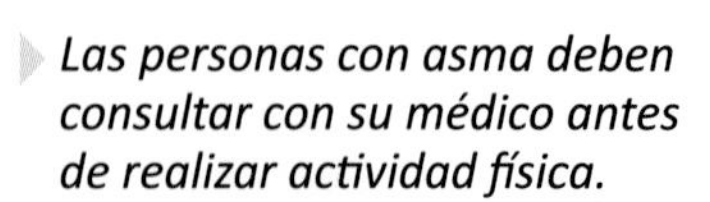

Las personas con asma deben consultar con su médico antes de realizar actividad física.

UNA VIDA NORMAL

Con el tratamiento y los controles adecuados, las personas asmáticas pueden realizar actividad física o practicar deportes, viajar y disfrutar de una vida saludable. Para evitar complicaciones siempre deben tener consigo su medicación.

Estar preparados

Cuando se detectan los síntomas de una posible crisis asmática es importante conocer cómo se debe actuar. El médico debe indicar el tratamiento a seguir en estos casos. Los niños mayores también deben aprender a identificar un brote para poder así advertir a sus padres, cuidadores o maestros. Para su seguridad tienen que **llevar siempre** el inhalador, junto con el **espaciador** si corresponde, y saber cómo utilizarlo.

El asma a lo largo de la vida

Asma en la infancia

Como es sabido, el asma es la **enfermedad crónica** más frecuente durante la **infancia**. Es importante que los niños que tienen asma estén informados de su afección, así pueden entender lo que les pasa y aprender a **identificar los síntomas**. Aunque el niño sea pequeño se le debe explicar los aspectos centrales de la enfermedad con un lenguaje sencillo y adecuado a la edad.

El asma infantil es una de las principales causas de ausentismo escolar.

Cómo informar a los niños

Los **padres**, con ayuda del **equipo de salud** que atiende al niño, pueden explicarle acerca del **sistema respiratorio**, su funcionamiento y las causas de este trastorno. También se puede proponer en la **escuela** del niño que la maestra, o alguno de los padres como invitado, realice una **clase especial** para que los compañeros conozcan sobre el asma y los desencadenantes.

Un recurso muy útil

En internet existen diversos recursos para que los niños aprendan de una manera divertida, entre ellos, portales con juegos, cuentos y otras herramientas educativas que profundizan diferentes aspectos de la enfermedad.

El asma en la adolescencia

Una etapa difícil

Los adolescentes atraviesan una etapa de **reconocimiento del cuerpo**, de **autoafirmación** y, en algunos casos, de **rebeldía**. Estas características típicas de la adolescencia pueden tener como consececuencia que el joven asmático descuide o incluso suspenda el tratamiento, ya sea por **olvido** o por sentir **vergüenza** de utilizar los medicamentos frente a sus pares.

Cuidado responsable

Los padres tienen que ser conscientes de que los adolescentes comienzan a ser más independientes. Para los jóvenes asmáticos implica **empezar a hacerse cargo de su enfermedad sin el control constante de su familia**. Es decir, esta persona que pronto se convertirá en adulto deberá comenzar a **responsabilizarse de su cuidado**. En este sentido, el **éxito** del **tratamiento** dependerá directamente del **compromiso** del adolescente en este proceso.

El peligro del tabaquismo

Es muy frecuente que algunos adolescentes adquieran el hábito de fumar tabaco. Los padres deben advertirles que esta adicción es perjudicial para todas las personas, pero especialmente para quienes padecen asma. Para que la advertencia tenga un efecto disuasivo no debe plantearse como una amenaza (por ejemplo: "Si te veo fumando, no saldrás a bailar por un mes."). Se recomienda que sea una charla en la que se explique cómo el tabaco, e incluso el humo de tabaco, es perjudicial para las vías respiratorias.

El asma en el embarazo

Cómo afecta

Aproximadamente, un 8% de las embarazadas pueden verse afectadas por el asma, pero la evolución difiere según cada caso. En algunas mujeres la enfermedad **mejora durante la gestación**, en otras permanece estable y para algunas los **síntomas se incrementan**. Las crisis son más habituales entre las semanas 24 y 36 del embarazo, y **poco frecuentes durante el parto**.

Las complicaciones más frecuentes

Las embarazadas con asma pueden tener algunas complicaciones como **aumento** de la **presión arterial**, **parto prematuro** y **bajo peso** del niño al nacer. Sin embargo, con un buen control durante la gestación estos inconvenientes pueden evitarse.

Embarazo y medicación

La mayoría de los **medicamentos** utilizados para tratar el asma son **seguros** en el **embarazo**. El mayor riesgo para los bebés en gestación de una madre asmática no son los medicamentos para tratarla sino el mal control de la enfermedad. Una crisis asmática produce una **disminución** de los niveles de **oxígeno** en sangre, lo que puede provocar una menor llegada de oxígeno al feto. Los riesgos que supone el asma sin tratar son mucho mayores que los riesgos de continuar el tratamiento contra el asma.

Planificar el tratamiento

Apenas una mujer se entera que va a ser mamá, o mejor desde que está planificando un embarazo, es importante que le comente a su médico ginecólogo u obstetra acerca de su condición de asmática. Posiblemente será necesario que se pongan en contacto con el médico que sigue el tratamiento del asma para realizar algunos ajustes de medicaciones y dosis.

Adultos mayores y asma

Asma tardía

En los últimos años se ha registrado un **aumento** de los casos de **asma** en los **adultos mayores de 65 años,** asociado con el crecimiento de las **grandes ciudades** y con la vida cada vez más urbanizada. Estos son casos de **asma de aparición tardía** que, muchas veces, surge luego de un episodio de **infección respiratoria**.

¿Por qué es más grave?

Una de las principales **dificultades** en este momento de la vida es que la **percepción** de los **síntomas** está **disminuida**, por lo cual, cuando son advertidos por las personas y a raíz de esto hacen una consulta con el médico, el **cuadro** suele estar **avanzado**. También contribuye a la gravedad del asma la coexistencia con otras **enfermedades,** ya sean **respiratorias** como **cardíacas,** que favorecen el desarrollo de complicaciones y dificultan el **tratamiento farmacológico**.

Efectos secundarios

Algunos **medicamentos** usados para otras enfermedades, como las afecciones cardíacas, pueden **empeorar el asma**, por ejemplo la **aspirina**. A su vez, algunos **fármacos** que se prescriben para tratar el asma pueden influir negativamente en otros **problemas de salud**. Por ejemplo, los **corticoides inhalados**, cuando se utilizan en dosis elevadas, pueden contribuir al desarrollo de **osteoporosis** en personas propensas.

Tipos de asma del adulto mayor

Tipo de asma	Características
Asma crónica o de aparición temprana	Se inicia en la infancia o durante la juventud y persiste en la edad avanzada.
Asma de aparición tardía	Comienza luego de los 65 años de edad, a veces luego de una infección respiratoria Es menos frecuente y más difícil de tratar.

Asma y actividad física

¿Es riesgosa la actividad física?

Entre las personas que padecen asma es muy frecuente la aparición de **espasmos bronquiales** durante la realización de **ejercicio físico** o la práctica de deportes. Sin embargo, esto no debe ser un impedimento para que los asmáticos hagan actividad física, ya que con el **seguimiento médico** y algunas **medidas de precaución** se puede **evitar** que se desencadenen los **síntomas**.

Normalidad

Salvo en casos graves, los asmáticos pueden hacer ejercicios con normalidad.

SEIS RECOMENDACIONES PARA REALIZAR ACTIVIDAD FÍSICA

Las personas asmáticas pueden realizar actividades físicas pero deben tomar ciertos recaudos. Algunas recomendaciones son:

1. Tomar los fármacos indicados por el médico unos 20 minutos antes de la práctica deportiva.

2. Evitar la ingesta abundante de alimentos antes de la actividad física

3. Evitar en lo posible los ambientes con polvo o muy fríos.

4. Hacer un adecuado precalentamiento físico

5. Realizar actividad física regularmente y aumentar la intensidad progresivamente.

6. Llevar siempre la medicación para utilizar en caso de crisis.

Qué actividad elegir

Algunos **tipos de ejercicio** pueden tener **menor probabilidad** de desencadenar los síntomas de asma. La **natación** es un **excelente deporte para las personas con asma,** debido a que el aire caliente y húmedo de las piletas es beneficioso para controlar los síntomas de la enfermedad. Asimismo, son más recomendables los **deportes de grupo** que alternan períodos de actividad física con períodos de cierto reposo. En cambio, las actividades que requieren un **gran esfuerzo físico** o estar en constante movimiento son **menos favorables para el asma**.

Cómo actuar ante una crisis

Si se presenta una crisis asmática durante la realización de ejercicio físico hay que **suspenderlo** inmediatamente. Luego, es recomendable dirigirse a un **ambiente** interior que sea **cálido** y tomar la **medicación** indicada para estos casos. A muchas personas les sirve de ayuda realizar una **espiración controlada**, es decir respiraciones cortas y superficiales por la nariz y si hay obstrucción nasal, con la boca solo entreabierta, profundizando la respiración a medida que vaya cediendo el espasmo bronquial. Si no se logra superar la crisis con estas medidas hay que concurrir a la brevedad a un centro asistencial.

Protocolo contra el asma

Es importante, sobre todo en el caso de los niños, que los profesores y entrenadores sepan que la persona padece la enfermedad y también conozcan los **desencadenantes**, para **prevenir la crisis asmática** durante la actividad física. Algunas medidas sencillas pueden ayudar a evitar los síntomas. Estas son:

- No entrenar al aire libre en temporada de polen.
- Respirar por la nariz durante el entrenamiento.
- En el invierno cubrirse garganta y boca si se entrena al aire libre.
- Cumplir con el tiempo de precalentamiento y elongación.

Asma inducida por ejercicio

Se llama así a la obstrucción de las vías respiratorias producida por la actividad física. Los síntomas, similares a los de la crisis asmática, pueden aparecer entre 3 y 15 minutos después del esfuerzo físico. La recuperación ocurre de manera espontánea entre los 20 y los 90 minutos posteriores al ejercicio.
La intensidad del brote es proporcional al esfuerzo realizado.

Precauciones en los viajes

Antes de salir

Al momento de **planificar** un **viaje** todas las personas, asmáticas o no, deben tener en cuenta algunos consejos para evitar inconvenientes e imprevistos en la estadía fuera del hogar. Siempre que se visite otro país se debe contratar un **seguro médico** para tener cubierta la atención de cualquier **emergencia** que pudiera surgir. Si se visita otra ciudad dentro del país de origen, es recomendable consultar previamente los **hospitales cercanos**. Se puede consultar con el médico que sigue el tratamiento para que indique las mejores opciones.

ASEGURARSE LA MEDICACIÓN

Nunca hay que olvidar la medicación, ya que en el lugar de destino puede ser difícil de conseguir. Se recomienda llevar dosis extra en distintos equipajes, por ejemplo una en el de mano y otra en la valija, por si se produce un extravío. También es importante si se viaja en avión llevar la receta de la medicación.

En los medios de transporte

En medios de transporte como **trenes** y **autobuses**, o incluso en el **automóvil** propio, puede haber **ácaros**, **polvo** o **moho**, ya sea en los asientos como en los sistemas de ventilación y calefacción. Es importante, por lo tanto, permitir una **ventilación** al menos de 10 minutos y tener siempre a mano la medicación. En caso de estar atravesando una zona geográfica donde puede haber **polen** o **alta contaminación atmosférica** se recomienda viajar con las **ventanillas cerradas**. En el caso de viajar en **avión**, el **aire** suele ser muy **seco**, lo cual puede desencadenar ataques de asma. La persona asmática debe informar a la tripulación su condición y beber abundante agua.

▶▶ Asma en vacaciones

Las vacaciones son un tiempo de descanso y relajación, durante el cual las personas suelen olvidar su rutina y dejar de lado sus obligaciones. Pero el asma, como cualquier otra enfermedad crónica, no se toma vacaciones, por lo que **no se debe interrumpir ni alterar** el **tratamiento**.

Costos

La persona asmática debe tener en cuenta que en la mayoría de los países la salud no es pública y los costos de atención médica pueden ser muy elevados.

Recomendaciones para disfrutar el viaje

- Consultar con el médico antes de viajar para despejar cualquier duda.
- Elegir destinos con aire saludable, evitar las ciudades con mucha polución, contaminación o smog.
- Evitar zonas de cultivos agrícolas y paseos por el campo. La mejor opción son las zonas húmedas cercanas a ríos y mares donde las concentraciones de polen son más bajas.
- Indicar en el hotel que se necesita una habitación o sector para no fumadores.

Derribando Mitos

"El asma se cura si se elige vivir en un lugar de clima seco."

El asma es una enfermedad crónica, por lo que no se puede curar. Lo que se puede es atenuar los síntomas con el tratamiento adecuado. Para algunas personas el clima puede ser un desencadenante importante de la crisis asmática, por eso, los lugares con poca humedad pueden disminuir los síntomas. Sin embargo, esto no significa que la enfermedad haya desaparecido y se debe continuar con el tratamiento y las consultas con el médico.

¿Cómo puede ayudar la familia?

En el caso de los niños, los padres serán los encargados de controlar la enfermedad de sus hijos. Cuando el afectado es un adulto, la familia y las personas cercanas pueden ser de gran ayuda.

Cuando se trata de los **niños asmáticos**, el rol de la **familia**, además de garantizar su **atención médica**, es explicarles la enfermedad y la importancia del tratamiento. A medida que crecen, los niños se van haciendo más **independientes** y por eso deben saber cómo **manejar el asma**. Es importante que siempre tengan entre sus pertenencias los fármacos y un **inhalador**.

La responsabilidad de los padres

Los padres tienen la responsabilidad central en el manejo del asma infantil. Deben **informar** a la **escuela** y a cualquier otra institución de la que participe el niño, que este padece asma y dejar indicado qué hacer frente a una **obstrucción bronquial**, incluidos los **medicamentos**.

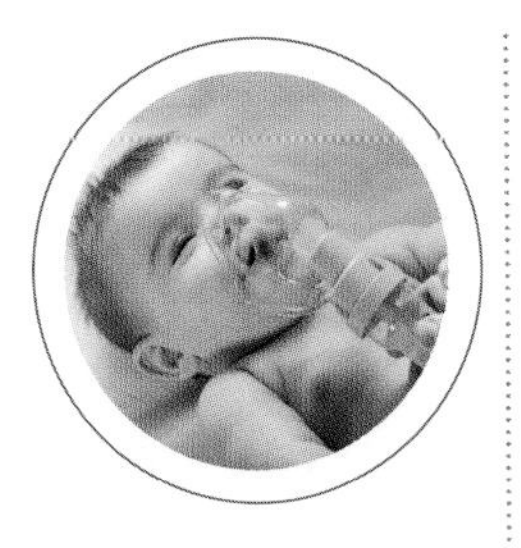

Compromiso

Es importante que los niños puedan reconocer los síntomas de su afección y se comprometan con el tratamiento.

Saber cómo responder

Los niños pasan cada vez más tiempo sin la compañía de sus padres, en la escuela, en instituciones deportivas o haciendo actividades recreativas o artísticas. Si en alguno de estos espacios fuera del hogar se presenta una crisis asmática es importante que ellos conozcan qué deben hacer.

La familia del adulto asmático

Cuando el asmático es un adulto, los miembros de la familia también pueden colaborar para evitar las crisis, por ejemplo, ayudando con la limpieza a reducir los posibles alérgenos en el hogar. Además, es importante que tenga conciencia de que uno de los **desencadenantes frecuentes** son los aspectos **emocionales**. Las emociones no producen asma pero las reacciones emocionales fuertes como **reír o llorar**, pueden provocar los **síntomas**.

Plan de acción frente al asma

Es una **estrategia** que incluye un conjunto de **instrucciones escritas**, desarrolladas y supervisadas con el **médico**, que describen en detalle de qué manera se debe controlar el asma. Se puede usar para el **hogar** y también para la **escuela**. El plan incluye:

- Los factores que **desencadenan** los síntomas en esa persona y la manera de evitar estos desencadenantes.
- Los **síntomas** a los que se debe prestar atención y qué hacer cuando aparecen.
- Los nombres y dosis de los **medicamentos** que es necesario tomar, con una indicación del momento en que se deben utilizar.
- Teléfonos de familiares y de centros de **atención de emergencias**.
- Instrucciones sobre el momento en que es necesario comunicarse con un **médico** o acudir a centro asistencial.

Si se mantiene el **plan actualizado**, con la supervisión del profesional responsable del tratamiento, y se lo cumple estrictamente, es posible evitar o controlar adecuadamente los síntomas que produce esta afección.

Educación familiar para la salud

▸▸ Cambio de hábitos

La familia de la persona asmática, sobre todo si es un niño, es clave para facilitar el control de los factores de riesgo. Esto implica un cambio de hábitos y **estilos de vida**, lo que requiere una predisposición favorable del conjunto del núcleo familiar y quienes conviven con el paciente. Por ejemplo, **dejar de fumar** o no hacerlo dentro de la casa, mantener a las **mascotas alejadas**, **no usar alfombras** o cortinas pesadas, son algunas de las medidas que se pueden tomar en el hogar.

Vida sana

Una parte fundamental del control del asma, además del tratamiento farmacológico, es modificar actitudes perjudiciales y adoptar un estilo de vida saludable.

▸▸ La higiene en el hogar

La presencia de un asmático en la familia hace necesario cambiar también la **rutina** de **limpieza** e **higiene en el hogar**. Se debe suspender el uso de productos de limpieza irritantes, como algunos limpiadores, aromatizadores y jabones que causan alergia. También es necesario un **control adecuado de plagas domésticas** como los ácaros.

Los niños asmáticos pueden tener peluches pero se deben elegir aquellos que no desprendan pelusas y lavarlos al menos una vez por semana con agua caliente.

▶▶ Un equipo multidisciplinario

La educación para la salud de la familia y la persona que padece asma es tarea de un equipo multidisciplinario que incluye **médicos**, **psicólogos**, **trabajadores sociales** y otros **profesionales de la salud**. La tarea de este equipo es primero conocer la idea que tienen la familia y el paciente sobre la enfermedad, **proveer información correcta** y ayudar a transmitir las **habilidades** necesarias para **controlar** y/o prevenir las crisis asmáticas.

Protagonista

La familia debe ayudar pero a la vez tener presente que el niño asmático es el protagonista y se debe lograr su participación activa en el tratamiento.

▶▶ La importancia de la autonomía

En el caso de los niños asmáticos, una de las funciones principales de los padres es enseñarles a sus hijos a tener **autonomía en el manejo de la enfermedad**. Hay que recordar que los niños pasan muchas horas fuera de su casa y deben saber cómo cuidarse o cómo actuar en caso de que se presenten los síntomas del asma.

A medida que conquistan mayor autonomía, los niños deben y pueden asumir gradualmente algunas responsabilidades en el control del asma.

Padres sobreprotectores

Muchas veces los padres, con la intención sana de preocuparse por el bienestar de su hijo asmático, adoptan una **estrategia equivocada de sobreproteger** al niño. La explicación para esta actitud es obviamente el **temor** que tienen ante la aparición de los síntomas de la crisis asmática, que lleva a que estén pendientes todo el tiempo del niño para detectar con anticipación el inicio de un eventual brote.
Sin embargo, el efecto de este tipo de comportamiento de los padres puede llevar a que el niño tenga **autoestima baja**, presente **dificultades** para la **socialización** y carezca de la autonomía necesaria para aprender a manejar la enfermedad.

Asma y factores emocionales

▸▸ El componente psicológico

El asma no tiene como causa problemas psíquicos o emocionales pero sus **síntomas** pueden aparecen por **factores psicológicos** (ansiedad, angustia e irritabilidad, entre otros). Las expresiones extremas de **emoción**, como la **risa**, el **llanto**, el **enojo** o el **miedo** pueden causar **hiperventilación** y desencadenar una **crisis**.

Estrés y asma

El estrés emocional está considerado como uno de los factores de riesgo para el asma bronquial.

▸▸ Emociones y tratamiento

En situaciones de **angustia** o **ansiedad**, las personas que sufren asma pueden ver alterada su **capacidad** para percibir cambios en los **síntomas** de obstrucción de la vía aérea y, por ello, **no realizar el tratamiento de control** o bien no utilizar los broncodilatadores en el momento necesario, por lo que se pueden agravar las crisis.

▸▸ Los niños y las emociones

Es importante que las personas asmáticas intenten, en la medida de lo posible, prevenir situaciones que les generen **estados alterados de sus emociones**. La familia puede ser de gran ayuda en este aspecto, especialmente cuando es un **niño pequeño** el que padece la enfermedad. Evitar circunstancias que les causen miedo o grandes emociones, intentar calmarlos cuando tienen ataques de llanto o hacen berrinches, desalentar los juegos que les producen demasiada excitación como las cosquillas, son algunas de las medidas a tener en cuenta para evitar las crisis.

ANSIEDAD Y ASMA

La ansiedad interfiere en tres aspectos fundamentales para el control del asma:

- Con la identificación de los factores de riesgo que desencadenan las crisis.
- Con la percepción adecuada de los síntomas.
- Con el cumplimiento del tratamiento.

Evaluación

En los casos en que estuviera indicado, el manejo terapéutico del asma debería incluir la evaluación y valoración de los factores emocionales vinculados con las crisis asmáticas.

El tratamiento psicológico

En el caso de los adultos suele ser más difícil que la familia ayude a controlar sus emociones. Las terapias psicológicas pueden ser un **complemento** importante para los **adultos asmáticos**, también porque en estos espacios pueden aprender a reconocer cuáles son las situaciones que les generan angustia o ansiedad para así evitarlas o aprender a sobrellevarlas. La intervención psicológica pretende otorgar al asmático un papel activo en el manejo de la enfermedad, aumentando su conocimiento y control.

Técnicas de relajación

Algunas personas asmáticas utilizan **ejercicios de relajación respiratoria** para disminuir la **hiperventilación** en situaciones de tensión. Esta técnica puede ayudar a relajarse y evitar que se desencadene una crisis. También pueden ser de utilidad el **yoga**, la meditación u otras disciplinas de relajación. Estas técnicas solamente se recomiendan para aprender a **controlar las emociones** que desencadenan las **crisis**. Sin embargo, nunca deben reemplazar al tratamiento médico.

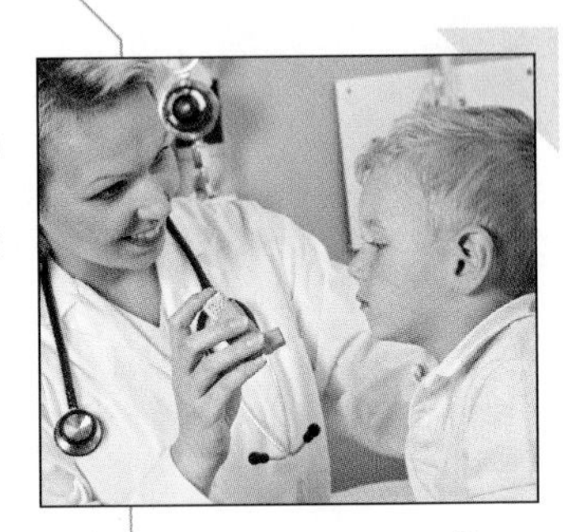

Derribando Mitos

"Un gran disgusto fue la causa de que tenga asma."

Si bien la primera crisis de asma se puede presentar luego de una situación de gran disgusto, esta no es la causa de la enfermedad. Las personas que la padecen tienen una determinada predisposición. Es decir, esa persona ya era asmática y esa situación solamente hizo que se desencadenen los síntomas.

¿Qué es la EPOC?

La enfermedad pulmonar obstructiva crónica (EPOC) consiste en un grupo de patologías que causan obstrucción de la circulación del aire y generan problemas relacionados con la respiración.

El nombre **EPOC** no se refiere a una enfermedad única, sino que designa diversas **dolencias pulmonares crónicas**, entre las que se encuentran el **enfisema** y la **bronquitis crónica**. El **tabaquismo** es la principal causa de la EPOC, en un 85 % de los casos. Le siguen los **contaminantes del aire**, los **factores genéticos** y las **infecciones respiratorias**.

Cómo se reconoce

Los síntomas más comunes son: **disnea** o **falta de aliento**, **expectoración** excesiva y **tos crónica**. No se trata solo de la llamada **tos del fumador**, sino de una enfermedad pulmonar potencialmente mortal que no es curable, aunque el tratamiento puede retrasar su progresión.

Causas de la EPOC

El gran enemigo

El principal causante de esta enfermedad es el **humo del tabaco**. Por lo tanto, afecta tanto a **fumadores activos** como **pasivos**, es decir aquellos que conviven en ambientes con personas que fuman.

Fumadores pasivos

Se estima que el 10% de las muertes por causas vinculadas al tabaco se dan en fumadores pasivos.

Fumadores y adultos

La EPOC se presenta con más frecuencia en **adultos** a partir de los **40 años** con antecedentes de **tabaquismo** (que fuman o fueron fumadores). Sin embargo, una de cada seis personas que padecen esta condición nunca fumaron. Consumir tabaco durante la niñez y la adolescencia puede hacer más lento el crecimiento y desarrollo de los pulmones. Esto trae como consecuencia un aumento en el riesgo de tener esta enfermedad en la edad adulta.

LA BARRERA DE LOS 100 CIGARRILLOS

Según el Ministerio de Salud de la Argentina, si una persona fumó al menos 100 cigarrillos en su vida pero no fuma en la actualidad y suspendió el consumo de tabaco hace más de 1 año, se la considera un exfumador. Si fumó menos de 100 cigarrillos se lo tipifica como una persona que nunca fumó.

Otros factores de riesgo

- Contaminación del aire de interiores (por ejemplo, por la utilización de combustibles sólidos en la cocina y la calefacción).
- Contaminación del aire exterior.
- Exposición laboral a polvos y productos químicos (vapores, irritantes y gases).
- Infecciones repetidas de las vías respiratorias inferiores en la infancia.
- Alteración genética llamada deficiencia de alfa-1-antitripsina, una proteína que se produce en el hígado.

Edad

La mayoría de las personas que sufren EPOC tienen por lo menos 40 años al inicio de los síntomas. También puede presentarse en personas menores pero no es lo más frecuente.

La prevención más importante

La EPOC es una **enfermedad prevenible**, es decir que se puede evitar. La principal medida de prevención es **no comenzar a fumar o dejar de hacerlo lo antes posible**. También se deben evitar los ambientes con **humo de tabaco** u otros espacios en los que haya **aire contaminado** o **vapores químicos**.

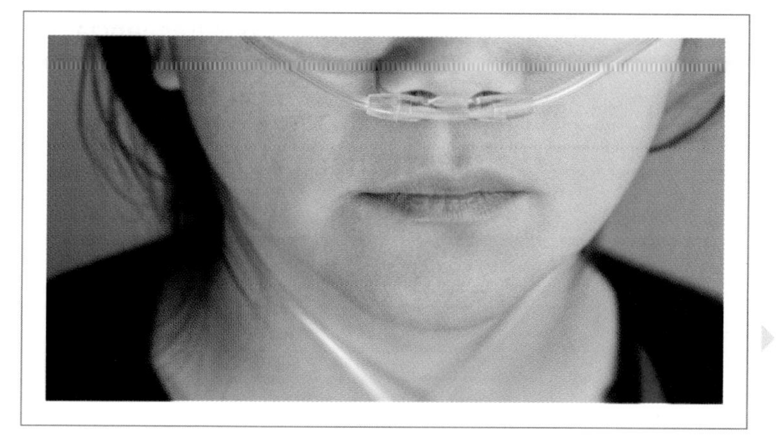

Uno de cada cuatro fumadores desarrolla EPOC.

Tabaquismo y EPOC

Qué daños produce

El **tabaco** afecta a los **pulmones**, debido a que el **humo** inhalado va directamente hacia estos órganos. Así, se producen **lesiones** en diferentes niveles del aparato respiratorio, entre ellas:

- Aumento de las **secreciones** en la tráquea y los bronquios, lo que lleva a **tos crónica** y expectoración habitual, sobre todo, por las mañanas. El aumento de las secreciones se asocia con mayor riesgo de sobreinfecciones por virus y bacterias asociado con **bronquitis crónica**.
- Destrucción de la **superficie** de los **alvéolos** (enfisema) que produce una disminución del paso del aire.

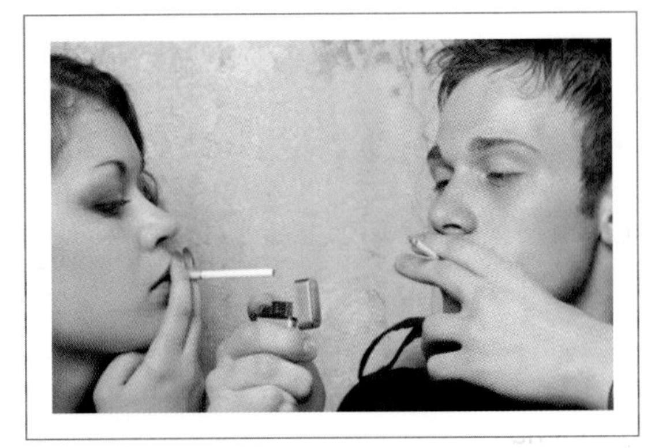

Por qué ya no es una enfermedad masculina

Hasta hace unos años, la EPOC era una enfermedad más frecuente en el sexo masculino. No obstante, en la actualidad debido al aumento del **consumo** de **tabaco** entre las **mujeres** de los países de ingresos elevados, y al mayor riesgo de exposición a la contaminación del aire de interiores entre las mujeres de los países de bajos ingresos, afecta casi por igual a **ambos sexos**.

Causa de muerte

Según la Organización Mundial de la Salud, en 2012 murieron en todo el mundo más de 3 millones de personas debido a la EPOC. Esta cifra representa un 6% de todas las muertes registradas ese año.

Los síntomas de EPOC

Menos aire

Cuando una persona padece EPOC, por sus vías respiratorias circula menos aire debido a uno o más de los siguientes factores:

- Las vías respiratorias y las diminutas **bolsas de aire** de los pulmones pierden su **capacidad** para **estirarse** y **contraerse**.
- Las **paredes** de las vías respiratorias se **engrosan e inflaman** (se irritan y se hinchan).
- Las vías respiratorias producen más **moco** que lo habitual, lo que las puede **bloquear** e impedir el flujo de aire.

PULMÓN NORMAL Y EPOC

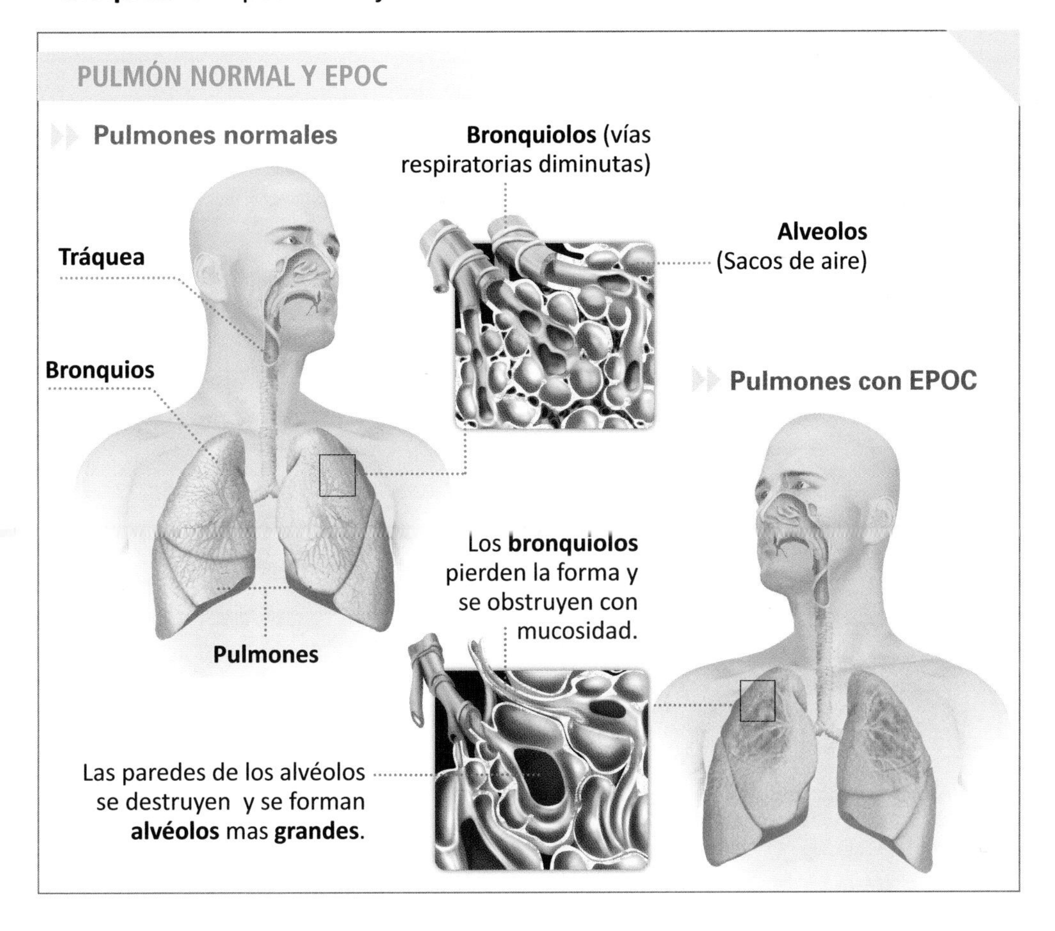

▶▶ El inicio de la enfermedad

En las **etapas iniciales** de la EPOC puede no haber síntomas o presentarse algunos **indicios leves**. Los más comunes que se pueden encontrar son:

- **Tos persistente** (llamada “tos del fumador”).
- **Disnea**, es decir dificultad para respirar, especialmente al hacer actividad física.
- **Sibilancias** (un sonido de silbido al respirar).
- **Presión** en el pecho.

A medida que la enfermedad empeora, los síntomas se van acrecentando.

CINCO SÍNTOMAS DE EPOC AVANZADA

- Problemas para inhalar el aire y para hablar.
- Coloración azul o morada en los labios y uñas (una señal de bajos niveles de oxígeno en la sangre).
- Palpitaciones muy rápidas.
- Inflamación de los pies y los tobillos.
- Pérdida de peso.

▶▶ La bronquitis crónica

La EPOC incluye la **bronquitis crónica obstructiva**, que se caracteriza por presentar **tos** con **secreción mucosa** (esputo) crónica durante un largo período. El diagnóstico de la bronquitis crónica se realiza cuando estos síntomas se dan durante al menos **tres meses o más** en el transcurso de **dos años consecutivos**.

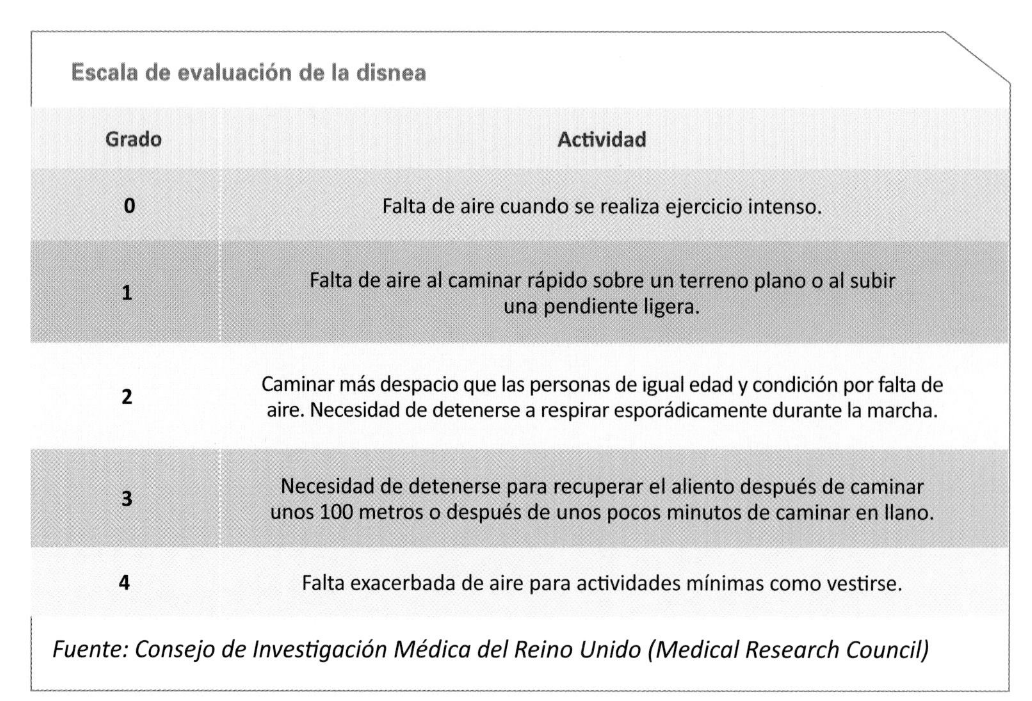

Escala de evaluación de la disnea

Grado	Actividad
0	Falta de aire cuando se realiza ejercicio intenso.
1	Falta de aire al caminar rápido sobre un terreno plano o al subir una pendiente ligera.
2	Caminar más despacio que las personas de igual edad y condición por falta de aire. Necesidad de detenerse a respirar esporádicamente durante la marcha.
3	Necesidad de detenerse para recuperar el aliento después de caminar unos 100 metros o después de unos pocos minutos de caminar en llano.
4	Falta exacerbada de aire para actividades mínimas como vestirse.

Fuente: Consejo de Investigación Médica del Reino Unido (Medical Research Council)

El enfisema

El enfisema se define por el **agrandamiento anormal** y la **destrucción irreversible** de los **alvéolos** (las bolsas de aire de los pulmones) acompañado por la destrucción de las paredes de estos órganos. Estas dos condiciones pueden presentarse solas o combinadas en una misma persona.

Infecciones que agravan la EPOC

La EPOC frecuentemente se agrava por la presencia de **exacerbaciones**, es decir períodos de **aumento de la tos**, la **disnea** y la producción de **flema**, lo que suele producirse por una infección viral o bacteriana. Estos episodios aceleran el avance de la enfermedad y aumentan la mortalidad.

Asma y EPOC

Estas dos enfermedades producen una **inflamación crónica** de las **vías respiratorias**, pero tienen algunas diferencias. Hay personas que presentan las dos patologías, esto se denomina **síndrome de superposición EPOC-asma** y es más frecuente en quienes tienen **antecedentes** de **tabaquismo** y **alergia**.

DIFERENCIAS ENTRE EL ASMA Y LA EPOC

Característica	EPOC	Asma
Obstrucción del flujo aéreo	Crónica, poco reversible.	Total o parcialmente reversible con medicamentos.
Inflamación	Producto del humo del tabaco.	Condicionada por factores genéticos.
Edad de aparición	A partir de los 40 años.	Generalmente en la infancia o edades tempranas.
Antecedentes	Tabaquismo.	No se asocia con el tabaquismo.

Fuente: Fundación Argentina del Tórax

Cómo se diagnostica

Diagnóstico

La EPOC es una enfermedad subdiagnosticada, es decir que muchas personas no saben que la padecen. Además, el diagnóstico suele ser tardío y esto aumenta los riesgos de complicaciones.

Atención a las señales

Para detectar un posible caso de EPOC es importante estar atento a **síntomas** como: **tos frecuente**, **catarro**, **disnea,** o antecedentes de exposición a los factores de riesgo, principalmente el **tabaquismo**. El profesional de la salud confirmará el diagnóstico con una **espirometría**, para evaluar si existe disminución de la capacidad de respiratoria.

Capacidad respiratoria

Mediante la espirometría se determinan, entre otros datos, dos que son de importancia: el **volumen espirado en el primer segundo** y el **volumen** que la persona puede **espirar** en forma **total**. Ambos se miden en litros y en porcentajes con respecto al valor normal. Este **valor normal** se obtiene de una **tabla** cuyas variables son el **género**, el **peso** y la **altura** del paciente.

EL DATO CLAVE

El volumen espirado en el primer segundo (VEF1), expresado como porcentaje del valor esperado, es la variable que define la gravedad de la obstrucción al flujo de aire.

Gravedad de la obstrucción respiratoria

Gravedad	VEF1 (% del esperado)
Leve	> 80 %
Moderada	50-80 %
Grave	30-49 %
Muy grave	< 30 %

Una prueba clave

Test de marcha

Existen diferentes pruebas que miden el estado o capacidad funcional de la **habilidad física para trasladarse**. El **test de caminata de 6 minutos** es una manera sencilla de determinar la **tolerancia al ejercicio**, debido a que no requiere dispositivos tecnológicos complejos. Solo se necesita un lugar para trasladarse, una persona que supervise y un **oxímetro de pulso**.

Seis minutos

Mediante el test de marcha se mide la mayor **distancia** que una persona puede **caminar** a **velocidad constante**, durante **6 minutos**. Se debe realizar sobre un **terreno plano**, nivelado, de 30 metros de largo, sin obstáculos ni circulación de personas.

Mientras se realiza este examen el médico evalúa la **distancia** caminada, el **tiempo** en caso que no se llegue a completar los seis minutos, la **velocidad**, la cantidad de veces que la persona tuvo que detenerse, la **disnea**, la **fatiga muscular**, la **frecuencia respiratoria** y cardíaca, la presión arterial y la **saturación de oxígeno** en sangre, entre otros parámetros.

Preparación para la prueba

El test de marcha de 6 minutos requiere algunas **medidas** de **preparación mínimas**. Las más importantes son:

- Indicar al paciente que use **ropa** y **calzado cómodos** y que no ingiera alimentos en las 2 horas previas a la prueba.
- Hacer 15 minutos de **reposo** antes de iniciar.
- Si el paciente toma **broncodilatadores** debe hacerlo 1 hora antes del estudio.
- Repetir el test como mínimo una vez con un **intervalo de descanso** de 30 minutos.

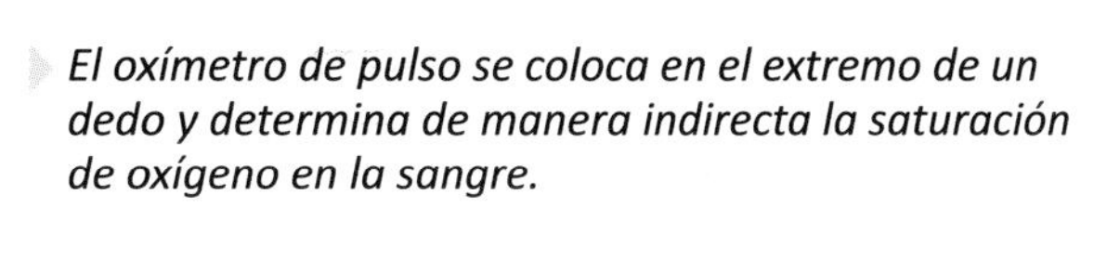

El oxímetro de pulso se coloca en el extremo de un dedo y determina de manera indirecta la saturación de oxígeno en la sangre.

¿Se cura la EPOC?

Los objetivos del tratamiento

No existe un tratamiento que cure la EPOC pero es importante seguir las recomendaciones médicas debido a que se puede **frenar el avance de la enfermedad**. Se utilizan **fármacos** para abrir las vías respiratorias y facilitar la **oxigenación**. Se dividen en dos tipos de fármacos:

- **Medicamentos de mantenimiento**: se deben tomar todos los días, aunque no se presenten síntomas. A largo plazo, tienen el efecto de controlar los síntomas.
- **Medicamentos de rescate**: son los que se administran durante episodios o ataques de EPOC para aliviar los síntomas de forma inmediata.

Vacunas

Se recomienda que las personas con EPOC se apliquen la vacuna antigripal todos los años y la vacuna antineumocócica para evitar infecciones.

Tabaquismo

El primer paso fundamental luego del diagnóstico es **abandonar el consumo de tabaco**, y en el caso de quienes ya no fumen, mantener los **ambientes libres de humo**, tanto en el trabajo como en el hogar.

Un trastorno frecuente

En casos graves de EPOC es posible que se presenten dificultades para comer. Esta situación puede llevar a una disminución del peso, debido a que el organismo no está recibiendo la cantidad suficiente de calorías y nutrientes y, como consecuencia, se acrecientan los síntomas y se eleva el riesgo de contraer infecciones. En estos casos se sugiere consultar con un nutricionista para elaborar un plan alimentario adecuado para sus necesidades.

Aliviar síntomas

Los **síntomas** como la **tos** o el **silbido** pueden tratarse con **medicamentos específicos**, mientras que para las **infecciones respiratorias** se indican **antibióticos**. Y a los pacientes que tienen niveles bajos de oxígeno en la sangre se les suministra, frecuentemente, **oxígeno adicional**. Por eso, cuanto antes se detecte esta enfermedad, más efectiva será la intervención médica y se podrán observar mejores resultados en la calidad de vida de las personas que padecen EPOC.

El uso del broncodilatador

En relación al tratamiento farmacológico, el médico puede recetar el uso de **broncodilatadores** para relajar los músculos de las vías respiratorias.
Según la gravedad de la enfermedad se indican broncodilatadores de **acción inmediata** o de **acción prolongada**. Al igual que en el asma, generalmente se utilizan **inhaladores** para que el medicamento llegue directamente a los pulmones. Existen diversas drogas que están indicadas para el tratamiento de la EPOC según el caso de cada paciente.

OXÍGENO ADICIONAL

En las personas con casos graves de la enfermedad se suele indicar el uso de oxígeno para ayudarlos a respirar mejor.
Este tratamiento consiste en la administración de oxígeno mediante cánulas nasales o una mascarilla. Puede ser que lo necesiten en forma constante o en determinados momentos del día.

La cirugía

Nunca es el tratamiento de primera elección.
En personas con **enfisema grave** se puede realizar una cirugía conocida como **reducción del volumen pulmonar**, que consiste en extirpar las partes dañadas del pulmón para permitir que funcione mejor. No es una práctica frecuente.
En casos de gravedad extrema se puede llegar a indicar un **trasplante pulmonar**. Pero esta opción solo se evalúa para ciertas personas.

Indicaciones para trasplante de pulmón

La cirugía de trasplante pulmonar puede realizarse para uno o ambos pulmones.
Para que un paciente sea considerado como candidato a trasplante debe tener las siguientes características:

- EPOC muy grave que ya no responde a los tratamientos habituales.
- Dependencia de bomba de oxígeno.
- EPOC potencialmente mortal en 2 años.
- Buen estado físico para resistir la operación y el proceso posterior a la recepción del órgano.
- Menor de 65 años.

Adiós al cigarrillo

Dejar de fumar

Voluntad

Dejar de fumar es posible y nunca es tarde para hacerlo, pero requiere una fuerte voluntad para no recaer en el hábito.

Como la **nicotina** es una **droga** muy **adictiva**, dejar de fumar se asocia generalmente con un **síndrome de abstinencia** que se manifiesta como: ansiedad, irritabilidad, hambre, cansancio, dificultad para concentrarse y problemas para dormir. Es por ello que para muchos fumadores es muy difícil abandonar el consumo de tabaco, y pueden necesitar de **dos a siete intentos** antes de poder dejarlo definitivamente.

Aplicaciones motivacionales

El celular puede transformarse en un gran aliado para dejar de fumar. Existen diversas aplicaciones que calculan el tiempo que el usuario lleva sin fumar, los cigarrillos no fumados, el dinero ahorrado y los progresos con las mejoras físicas, entre otras funciones.

Los primeros meses

Aunque el porcentaje de **recaídas** es mayor en las **primeras semanas**, las personas que dejan de fumar por al menos **3 meses** con frecuencia son capaces de mantenerse libres de **tabaco** por el resto de sus vidas. Por lo tanto, los primeros meses de la cesación de consumo de tabaco son fundamentales para consolidar el **abandono del hábito** y es donde se deben concentrar todos los esfuerzos.

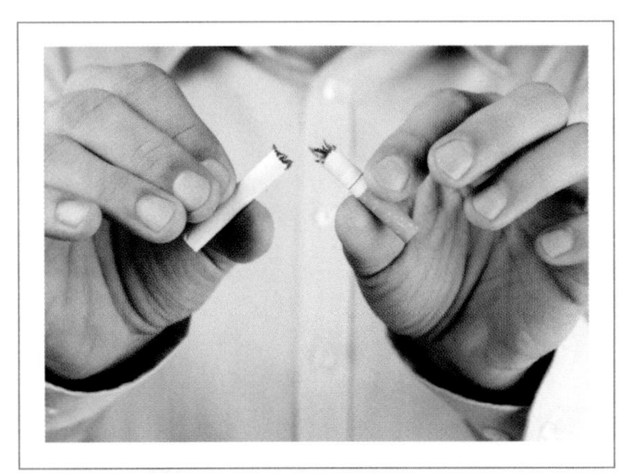

TOMAR LA DECISIÓN

Existen muchas maneras de abandonar el cigarrillo. Para la mayoría de las personas solo depende de tomar la decisión, pero muchas otras requieren de un apoyo externo. Para ellas existen diversas opciones que ayudan a superar momentos en los que resulta difícil evitar las recaídas.

Métodos para dejar de fumar

Servicios de cesación tabáquica

Existen servicios específicos de cesación tabáquica, conformados por equipos interdisciplinarios, que abarcan:

- **Consultorios médicos**: formados por especialistas para dejar de fumar.
- **Consejerías con apoyo psicológico**: entrenan a los fumadores para identificar y afrontar los eventos y problemas que se relacionan con fumar o con el riesgo de una recaída.
- **Grupos de autoayuda**: integrados por personas en proceso de cesación tabáquica, donde se ponen en común las dificultades y también los logros.

Terapias de reemplazo de nicotina

Existen productos de reemplazo de **nicotina**, como **parches**, **chicles** y **comprimidos**, que suministran dosis pequeñas y continuas de esta sustancia al cuerpo. Ayudan a aliviar los **síntomas de abstinencia**. Se recomiendan para las primeras 8 semanas sin fumar.

Buscar información

Hay personas que tienen **disciplina propia** y quizás no requieran ayuda externa permanente. Para estos casos existen múltiples medios para conseguir información sobre **métodos efectivos para dejar de fumar** y eventualmente encontrar apoyo. Entre ellos se destacan:

- **Manuales de autoayuda**: ofrecen métodos prácticos, ideas y sugerencias de personas que han abandonado el cigarrillo.
- **Líneas telefónicas** con seguimiento: a cargo de personal capacitado para ayudar en el proceso de dejar de fumar.
- **Sitios web** de instituciones u hospitales: ofrecen ideas y recomendaciones para abandonar el consumo de tabaco y una guía de servicios de cesación tabáquica.

BENEFICIOS DE DEJAR DE FUMAR

Los beneficios de abandonar el consumo de tabaco comienzan a sentirse enseguida y se multiplican de manera progresiva, según el tiempo transcurrido desde la cesación tabáquica. A continuación veremos esta evolución.

Tiempo transcurrido de la cesación tabáquica	Beneficios obtenidos
20 minutos	• Normalización de la presión arterial y frecuencia cardíaca (pulso). • Mejora la temperatura y la circulación de las manos y los pies.
8 horas	• La nicotina de la sangre baja notoriamente. • Aparece la abstinencia.
12 horas	• Aumentan en la sangre los niveles de oxígeno y baja la concentración de monóxido de carbono llegando a valores normales. • Mejora la sensación de cansancio durante el día y del embotamiento al despertar.
24 horas	• Mejora el funcionamiento de las venas de todo el organismo.
48 horas	• Comienza la normalización del olfato y el gusto.
72 horas	• Disminuye la sensación de falta de aire y mejora el funcionamiento de los bronquios.
5-8 días	• Algunas personas presentan tos y expectoración como manifestación de la vitalidad recuperada por las defensas de los pulmones que van a realizar una limpieza bronquial.
10 días a 2 semanas	• Se normaliza la circulación en encías y dientes. Comienza a reducirse la irritación de las encías, disminuye el riesgo de caries y de pérdida de piezas dentarias.

Tiempo transcurrido de la cesación tabáquica	Beneficios obtenidos
2 a 4 semanas	• Mejora el colesterol. • Las arterias se siguen revitalizando y disminuye el riesgo de enfermedad coronaria. • Vuelven a funcionar bien las plaquetas y la coagulación
5 a 6 semanas	• Disminuye el riesgo de padecer un infarto del corazón. • Mejora la función de los pulmones.
3 meses	• Mejora continua y cada vez más profunda de la circulación. • Hay mayor facilidad para caminar más tiempo y a mejor ritmo. • Mejoría notoria o desaparición de la tos crónica.
3 a 9 meses	• Menos sensación de congestión nasal. • Menos fatiga y más energía corporal. • Menor chance de infecciones respiratorias. • Mejora significativamente la función de las arterias de todo el organismo. • Disminuyen los valores de las escalas de estrés.
1 año	• Disminuye a la mitad el riesgo de enfermedad coronaria, infarto agudo de miocardio y accidente cerebrovascular.
5 a 10 años	• El riesgo de accidente cerebro vascular es comparable al de un no fumador.
10 años	• Disminuye el riesgo de aparición de cáncer de pulmón entre el 30% y el 50% comparado con quien siguió fumando. • El riesgo de muerte por cáncer de pulmón disminuye un 50% comparado con un fumador de 20 cig/día. • El riesgo de cáncer de páncreas disminuye al de un no fumador y baja el riesgo de cáncer de boca, garganta y esófago.
15 años	• El riesgo de enfermedad coronaria es comparable al de una persona que nunca fumó.
20 años	• El riesgo aumentado de morir por causas vinculadas al tabaquismo, incluyendo enfermedad pulmonar y cáncer, se equipara al de alguien que nunca fumó.

Fuente: Ministerio de Salud de la Nación Argentina

La rehabilitación pulmonar

Un programa completo

La rehabilitación pulmonar es un **programa supervisado por un** médico para ayudar a las personas que tienen dificultades respiratorias crónicas, entre ellas la EPOC. La mayoría de los programas de rehabilitación pulmonar incluyen **control médico**, **kinesiología**, **educación**, **apoyo psicológico**, **ejercicio**, **reentrenamiento respiratorio** y **nutrición**.

Una mejor calidad de vida

El **objetivo** de la **rehabilitación pulmonar** es lograr que las personas con EPOC y otras afecciones puedan desarrollar actividades, utilizando al máximo nivel posible las capacidades conservadas. Mediante la rehabilitación pulmonar se consigue una mejor calidad de vida. Entre sus efectos se encuentran:

- Una mejoría de los **síntomas respiratorios**.
- Una mayor **autonomía** para realizar actividades diarias.
- Mejor **rendimiento físico**
- Menos necesidad de recurrir a internaciones hospitalarias.
- Estado de **ánimo positivo**.

Un método multidisciplinario

La rehabilitación pulmonar es un método de **asistencia integral** para el paciente con EPOC, llevado adelante por un equipo multidisciplinario formado por: médico neumonólogo, médico clínico, nutricionista, fisioterapeutas, psicólogos, terapeutas ocupacionales y enfermeros.

Los músculos respiratorios

El **entrenamiento muscular** es uno de los componentes de esta terapia. Se realizan ejercicios **aeróbicos** y **estrategias** de **control** de las **disneas,** según las diferentes capacidades de la condición física de la persona. El entrenamiento de los **músculos respiratorios** incrementa su fuerza y resistencia, alivia la disnea, aumenta la capacidad de caminata y mejora la calidad de vida. El equipo de **rehabilitación** deberá entrenar a la persona afectada con un **programa** de **ejercicios** a largo plazo.

RELAJACIÓN

Las técnicas de relajación permiten a la persona con EPOC disminuir la intensidad del trabajo respiratorio y, de esa manera, aliviar la sensación de ahogo. Estas técnicas permiten reducir la energía que se utiliza par respirar, bajar la ansiedad y lograr una sensación de bienestar.

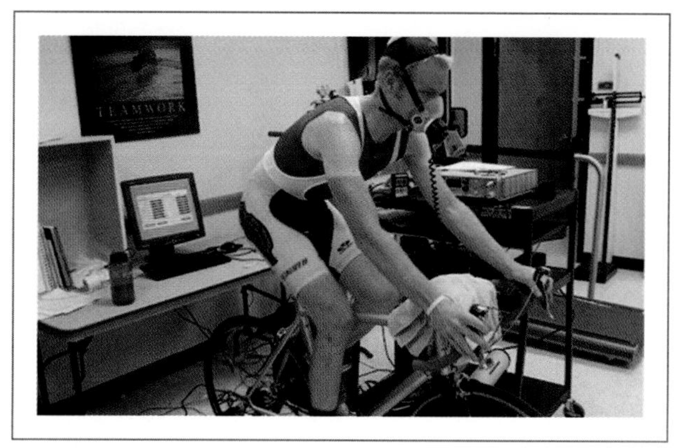

Un aspecto muy importante del programa de rehabilitación pulmonar es la educación del paciente para realizar los ejercicios en el hogar.

10 RECOMENDACIONES PARA EMPEZAR EL ENTRENAMIENTO

1. Elegir un espacio cómodo evitando las corrientes de aire.
2. Si el empezar los ejercicios se sienten molestias como falta de aire, dolor en el tórax, mareos, fatiga o dolor de piernas, se debe detener de inmediato.
3. No realizar una actividad física que requiera un esfuerzo por encima de las capacidades. Es importante controlar la intensidad y el tipo de ejercicios.
4. Mantener un ritmo constante, al menos dos o tres veces por semana.
5. Comenzar con un ritmo moderado e ir aumentando progresivamente.
6. No realizar ejercicios cuando no hay un buen estado físico, por ejemplo, cuando existe fiebre, tos, o alguna enfermedad.
7. Si el paciente tiene oxígeno auxiliar, debe mantenerlo durante el entrenamiento, y si hace falta, aumentar el suministro de oxígeno.
8. No hacer ejercicios hasta sentir agotamiento físico.
9. Realizar el ejercicio preferentemente con compañía de algún familiar o amigo. De lo contrario, el paciente debe avisar siempre dónde está realizando la actividad por cualquier emergencia.
10. Si el paciente aún fuma, cumplir primero el paso de la cesación tabáquica.

Fuente: Biblioteca Nacional de Medicina de los Estados Unidos.

Beneficios

Las técnicas de rehabilitación son un componente importante del tratamiento de la EPOC y tienen efectos beneficiosos al mejorar la calidad de vida relacionada con la salud y la capacidad de ejercicio.

Técnicas de respiración frente a la disnea

Existen diferentes técnicas para utilizar menos energía durante la respiración. Una de ellas es la respiración con los labios fruncidos. Cuando falta el aliento, ayuda a disminuir el ritmo respiratorio, y esto alivia la agitación y facilita la relajación. Se realiza del siguiente modo:

- Relajar los músculos del cuello y de los hombros.
- Sentarse en una silla cómoda con los pies en el suelo.
- Inhalar lentamente por la nariz en dos tiempos.
- Fruncir los labios como para silbar o apagar una vela.
- Exhalar lentamente por los labios en cuatro o más tiempos (sin forzar el aire al salir).
- Repetir estos pasos hasta que la respiración se haga más lenta.

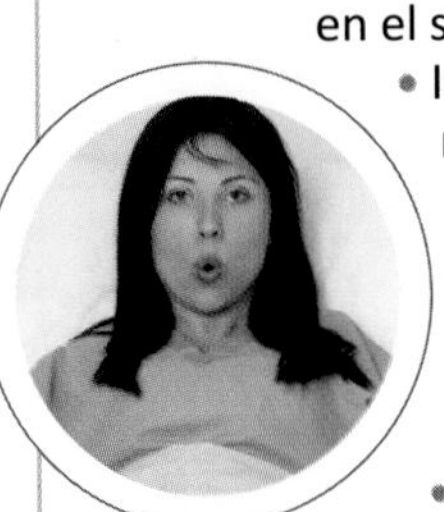

Fuente: Biblioteca Nacional de Medicina de los Estados Unidos.

Derribando Mitos

"Como ya tengo 50 años dejar de fumar no me traerá ningún beneficio."

Los beneficios de dejar de fumar se obtienen a cualquier edad. Los fumadores que cesan el tabaquismo tienen menos riesgo de morir por enfermedades asociadas con el tabaco que los que continúan fumando. Quienes dejan de fumar alrededor de los 50 años de edad reducen su riesgo de muerte prematura en más del 50% en comparación con quienes siguen fumando.

Anexos

- Modelo de plan de acción
- Planilla para detección de síntomas
- Autocuestionario para detección de EPOC
- Modelo de planilla para el control de EPOC
- Test para dependencia física a la nicotina

Modelo de plan de acción

El Plan de Acción ayuda a mantener controlados los síntomas del asma y, en caso de emergencia, saber cómo actuar.
Es muy importante confeccionarlo junto con el médico, mantenerlo actualizado y asegurarse que otras personas, familiares, maestros, o compañeros de trabajo, tengan una copia para poder reconocer situaciones en las que hay que recurrir a un servicio de emergencia.

Fecha:____
Nombre del médico:_____________________________________
Teléfono de contacto con el médico:_________________________
Teléfono del servicio de emergencias médicas: ________________

Zona verde: Se siente bien

Sin tos, silbidos al respirar (sibilancias), opresión en el pecho ni dificultad para respirar durante el día o la noche. Puede realizar sus actividades normales.
El flujo máximo está en el 80% o más de su valor óptimo personal.

Su valor óptimo personal de flujo máximo es:_________________
El 80% de su valor óptimo personal de flujo máximo es____________

Tome estos medicamentos de control a largo plazo todos los días.

MEDICAMENTO	CUÁNTO TOMAR	CUÁNDO Y CON QUÉ FRECUENCIA TOMARLO

Zona amarilla: Su asma está empeorando

Tiene tos, sibilancias, opresión en el pecho o dificultad para respirar o se despierta de noche por el asma o puede hacer algunas de sus actividades normales, pero no todas.

O bien,

Su flujo máximo está entre el 50% y el 79% de su valor óptimo personal
El 50% de su valor óptimo personal de flujo máximo es____________
El 79% de su valor óptimo personal de flujo máximo es____________

Continúe con las medicinas de la zona verde

MEDICAMENTO	CUÁNTO TOMAR	CUÁNDO Y CON QUÉ FRECUENCIA TOMARLO

Realice___________ inhalaciones o_____ ______
de medicamento de alivio rápido utilizando el nebulizador.

En caso de no retornar a la situación de Zona Verde en 30 o 40 minutos, realizar nuevamente el paso anterior.

Si no vuelve a Zona Verde en una hora
Aumentar la dosis en:_______________
Agregar medicamento:______________

Llame a su médico si no mejora luego de 24 horas.

Zona roja: ¡Alerta médica!

Tiene mucha dificultad para respirar o los medicamentos de alivio rápido no le han ayudado, no puede hacer sus actividades normales o los síntomas son iguales o empeoran después de haber pasado 24 horas en la Zona Amarilla.

O bien,

Su flujo máximo está en menos del 50% de su valor óptimo personal.
El 50% de su valor óptimo personal de flujo máximo es_____________

Tome los medicamentos de alivio rápido:

MEDICAMENTO	CUÁNTO TOMAR	CUÁNDO Y CON QUÉ FRECUENCIA TOMARLO

Llame a su médico inmediatamente o acuda al hospital/centro asistencial o llame a la ambulancia ¡AHORA MISMO!

Fuente: Adaptado de American Academy of Allergy, Asthma & Inmunology.

Recordatorio de medidas de prevención

En todos los casos evitar los siguientes factores de riesgo que pueden desencadenar una crisis asmática:

Cigarillo
- No fumar. No permitir que otras personas fumen en los ambientes que comparten que usted.

Polvo
- Limpiar con aspiradora, en lo posible evitar las alfombras.
- Utilizar un trapo húmedo.
- Lavar la ropa de cama y muñecos de tela todas las semanas.
- Utilizar cobertores a prueba de ácaros.
- Cambiar o lavar periódicamente los filtros de aires acondicionados.

Moho
- Ventilar los ambientes, en particular, los dormitorios y baños.
- Limpiar las superficies donde se forma moho con lanvandina.
- Reparar pérdidas de agua de cañerías y canillas.

Mascotas
- En caso de convivir con anamiles elegir los que tienen pelo corto.
- Evitar que entren a la habitación de la persona que tiene asma.
- Lavarse las manos después de tocarlos.

Aerosoles
- Evitar el uso de aerosoles o productos de limpieza con aromas intensos, perfumes o inciensos.
- Preferir pulverizadores a aerosoles.

Polen y contaminación ambiental
- Cerrar las ventanas en períodos de alto nivel de polen en el aire.
- Evitar uso de ventiladores y aires acondicionados.
- Utilizar barbijo en días de alta contaminación.

Actividad física
- Realizar ejercicios de precalentamiento.
- No realizar actividades al aire libre en días de mucho frío o cuando hay elevado nivel de polen y contaminantes.
- Tomar la medicación antes de la actividad física.

Planilla para detección de síntomas

Esta planilla de registro ayuda a tener una evaluación gráfica de los síntomas del asma y su evolución. A la vez, permite detectar los momentos del día y las circunstancias en los que se presentan los síntomas. Es importante mantenerla lo más completa posible, sobre todo en el proceso de dignóstico de la enfermedad, y llevarla a la consulta periódica con el médico tratante.

SÍNTOMA	NUNCA	ALGUNOS DÍAS	TODOS LOS DÍAS
Silbidos diurnos			
Silbidos nocturnos			
Tos durante el día			
Tos durante la noche			
Ahogo			
Fatiga y agitación			
Dolor en el pecho			
Crisis durante actividad física			
Crisis antecedida por infección respiratoria			
Agitación emocional (por ansiedad, risa, llanto, etc.)			

Autocuestionario para detección de EPOC

Coloque un círculo en la respuesta correcta:

1. ¿Su género es masculino? Sí [1] No [0]
2. ¿Su edad es mayor o igual a 50 años? Sí [1] No [0]
3. ¿Ha fumado 30 o más paquetes /año? Sí [1] No [0]
4. ¿Siente falta de aire al subir pendientes leves o caminar apurado? Sí [1] No [0]
5. ¿Ha tenido tos la mayoría de los días, por más de 2 años? Sí [1] No [0]
6. ¿Ha tenido flemas, la mayoría de los días, por más de 2 años? Sí [1] No [0]

Suma del contenido de cada círculo [ ]

Si obtuvo un puntaje de 4 o más debería realizarse una espirometría.

***Fuente:** Bergna MA, Garcia GR, Alchapar R, et al. Sociedad Argentina de Medicina Respiratoria.*

Modelo de planilla para control de EPOC

Ejemplo: Actividad física

FECHA	CAMINATA	BICICLETA FIJA	OTROS EJERCICIOS	TIEMPO	OBSERVACIONES
20/07/17	SÍ	SÍ	NO	30 MINUTOS	DIFICULTAD RESPIRATORIA LEVE AL COMIENZO

Test de dependencia física a la nicotina

PREGUNTA	PUNTAJE
¿Cuánto tiempo pasa entre que se levanta y fuma su primer cigarrillo?	
Hasta 5 minutos	3
Entre 6 y 30 minutos	2
Entre 31 y 60 minutos	1
Más de 60 minutos	0
¿Encuentra difícil abstenerse de fumar en lugares donde está prohibido, como el cine?	
Sí	1
No	0
¿A qué cigarrillo odiaría más renunciar?	
El primero de la mañana	1
Cualquier otro	0
¿Cuántos cigarrillos fuma al día?	
1-10	0
11-20	1
21-30	2
31 o más	3
¿Fuma con más frecuencia durante las primeras horas después de levantarse que durante el resto del día?	
Sí	1
No	0
¿Fuma aunque esté tan enfermo que tiene que estar en la cama todo el día?	
Sí	1
No	0
SUMA TOTAL	

Grado de dependencia:

Menor o igual a 3 puntos: *leve*
De 4 a 6 puntos: *moderado*
Mayor a 7 puntos: *grave*

Fuente: Ministerio de Salud de la Nación Argentina.

A continuación se detallan los principales términos y conceptos de difícil interpretación, o poco conocidos, trabajados a lo largo del libro. Entender el significado de estas palabras favorecerá la comprensión del asma y la EPOC.

Ácaros: insectos muy pequeños, no observables a simple vista, que se alimentan preferentemente de las células muertas de la piel y pueden ser desencadenantes del asma.

Alérgeno: sustancia que cuando ingresa en el organismo puede producir una reacción de hipersensibilidad (alergia) en determinadas personas.

Alvéolos: pequeñas bolsas de aire al final de las vías aéreas más pequeñas de los pulmones, los bronquiolos.

Broncodilatadores: medicamentos que aumentan el calibre de los bronquios y bronquiolos provocando una disminución en la resistencia de la vía aérea y aumentando el flujo de aire.

Bronquiolos: pequeñas vías aéreas en que se dividen los bronquios.

Bronquios: dos tubos que se ramifican desde la tráquea y llevan aire a los pulmones.

Bronquitis: inflamación de los conductos bronquiales, las vías respiratorias que llevan oxígeno hacia los pulmones.

Cilios: vellos de la nariz que protegen los conductos nasales debido a que filtran el polvo y otras partículas.

Corticoides: drogas antiinflamatorias que se utilizan para el tratamiento del asma.

Diafragma: músculo que separa la cavidad torácica de la cavidad abdominal y que, al contraerse, ayuda a la entrada de aire a los pulmones.

Disnea: dificultad respiratoria que genera una sensación de falta de aire en los pulmones.

Enfisema: tipo de enfermedad pulmonar obstructiva crónica (EPOC) en donde los alvéolos se dañan y, como consecuencia, el organismo no recibe el oxígeno que necesita.

Glosario

Espaciador: dispositivo que facilita el uso de un inhalador y aumenta su eficacia.

Espiración: proceso respiratorio por el cual se expulsa el aire de los pulmones.

Espirometría: estudio médico que permite medir la cantidad de aire que pueden retener los pulmones de una persona (volumen de aire) y la velocidad de las inhalaciones y las exhalaciones durante la respiración (velocidad del flujo de aire).

Esputo: secreción procedente de la nariz, la garganta o los bronquios que se escupe por la boca en una expectoración.

Faringe: tubo músculo-membranoso situado a nivel de las seis primeras vértebras cervicales. Se comunica con las fosas nasales, en el centro con la boca y en la parte baja con la laringe.

Inspiración: proceso respiratorio por el cual ingresa aire a los pulmones.

Laringe: órgano situado por delante de la faringe a nivel de las últimas vértebras cervicales. Contiene las cuerdas vocales que son las que posibilitan el sonido de la voz.

Narinas: fosas nasales. Cavidades de la nariz que están separadas por un tabique.

Nebulizador: aparato eléctrico que convierte el agua y/o una medicación específica en una niebla fina que se inhala por los pulmones.

Oxímetro de pulso: dispositivo electrónico que mide el ritmo cardíaco y los niveles de oxígeno.

Polen: sustancia similar a un polvo fino producido por flores y plantas con semillas que puede ser desencadenante del asma.

Pulmones: órganos fundamentales del aparato respiratorio.

Salbutamol: medicamento que tiene una función de broncodilatación que se administra por vía inhalatoria.

Sibilancias: sonido silbante y chillón durante la respiración, que ocurre cuando el aire se desplaza a través de los conductos respiratorios estrechos.

Tráquea: conducto semicircular que está constituido por unos 15 a 20 anillos cartilaginosos.

- ASOCIACIÓN LATINOAMERICANA DE TÓRAX (ALAT), Guía Latinoamericana de EPOC 2014, [online], abril 2015.
- COMITÉ NACIONAL DE NEUMONOLOGÍA; COMITÉ NACIONAL DE ALERGIA; COMITÉ NACIONAL DE FAMILIA Y SALUD MENTAL y COMITÉ NACIONAL DE MEDICINA INTERNA. Consenso de Asma Bronquial. 2007: 1ª parte. *Arch. argent. pediatr.* [online]. 2007, vol.106, n.1
- COMITÉ NACIONAL DE NEUMONOLOGÍA; COMITÉ NACIONAL DE ALERGIA; COMITÉ NACIONAL DE FAMILIA Y SALUD MENTAL y COMITÉ NACIONAL DE MEDICINA INTERNA. Consenso de Asma Bronquial. 2007: 2ª parte. *Arch. argent. pediatr.* [online]. 2008, vol.106, n.2
- GLOBAL INICIATIVE FOR ASTHMA, Guía de bolsillo para el manejo y la prevención del asma en adultos y niños de más de 5 años. Revisión 2014 [online], 2014.
- GLOBAL INICIATIVE FOR ASTHMA, Estrategia global para el manejo y la prevención del asma [online], 2006.
- GLOBAL INICIATIVE FOR CHRONIC OBSTRUCTIVE LUNG DISEASE, Global strategy for de diagnosis, management and prevention of chronic obstructive lung disease (update 2015) [online], 2015.
- GRUPO ESPAÑOL PARA EL ASMA (GEMA), Guía Española para el Manejo del Asma, Ediciones Mayo, Barcelona, 2003.
- INSTITUTO NACIONAL DE ENFERMEDADES RESPIRATORIAS "Emilio Coni", Boletín de actualización del asma, enero de 2015.

- INSTITUTO NACIONAL DE ENFERMEDADES RESPIRATORIAS "Emilio Coni", Boletín de actualización de la EPOC, enero de 2015.
- KONDEJEWSKI, J., MACPHERSON, S., Pocket Guide sobre Enfermedad Obstructiva Crónica y Asma, Editorial Anejo Producciones, Buenos Aires, 2014.
- MINISTERIO DE SALUD DE LA NACIÓN, Abordaje Integral de las Infecciones Respiratorias Agudas. Guía para el equipo de salud N° 6, 2da. Edición, Buenos Aires, 2011.

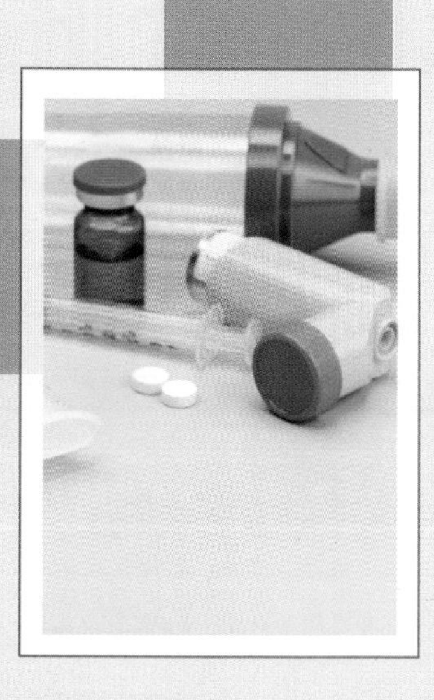

- MINISTERIO DE SALUD DE LA NACIÓN ARGENTINA, ¿Cómo le ayudará este manual a dejar de fumar?, Buenos Aires, 2014
- MINISTERIO DE SALUD DE LA NACIÓN, Guía de Práctica Clínica Nacional de Tratamiento de la Adicción al Tabaco. Recomendaciones basadas en la evidencia científica, Buenos Aires, 2014.
- MINISTERIO DE SALUD DE LA NACIÓN, Guía de Práctica Clínica Nacional de Diagnóstico y Tratamiento de la Enfermedad Pulmonar Obstructiva Crónica. Recomendaciones basadas en la evidencia científica. Versión preliminar para revisión externa, Buenos Aires, 2015.
- MIRAVITLLES, M. et al, Guía española de la EPOC (GesEPOC). Actualización 2014, Arch Bronconeumol. Elsevier España, 2014.
- SIVORI, M. et al . Consenso Argentino de Rehabilitación Respiratoria. *Medicina*, Buenos Aires, v. 64, n.4, agosto 2004.

SITIOS WEB CONSULTADOS

www.acaai.org ((American College of Allergy, Asthma, and Immunology)
www.aamr.org.ar (Asociación Argentina de Medicina Respiratoria)
www.alergia.org.ar (Asociación Argentina de Alergia e Inmunología Clínica)
www.cdc.gov/asthma/es/faqs.htm (Centros para el Control y Prevención de Enfermedades de los Estados Unidos)
www.aamr.org.ar/epocar (Estudio Argentino sobre Enfermedad Pulmonar Obstructiva Crónica)
www.fundepoc.org (Fundación Argentina de Asistencia al Paciente con EPOC)
www.fundaciontorax.com.ar (Fundación Argentina del Tórax)
www.fundaler.org.ar (Fundación para el estudio del asma y otras enfermedades alérgicas de Argentina)
www.ginasthma.org (Global Iniciative for Asthma)
www.anlis.gov.ar/iner (Instituto Nacional de Enfermedades Respiratorias "E. Coni" de Argentina)
www.msal.gov.ar (Ministerio de Salud de la Nación Argentina)
www.who.int/es (Organización Mundial de la Salud)
www.aaaai.org (The American Academy of Allergy, Asthma & Immunology)
www.goldcopd.org (The Global Initiative for Chronic Obstructive Lung Disease)

Índice

¿Qué es el asma? 7
El sistema respiratorio 8
Infografía: Sistema respiratorio 10
Las vías respiratorias y el asma 12

¿Cómo se detecta? 15
Síntomas del asma 16
La crisis asmática 18
Tipos de asma 19
El asma ocupacional 21
Estudios diagnósticos 22
La espirometría 24
El diagnóstico del asma infantil 26

¿Cómo se trata? 29
Terapias farmacológicas 30
Medicamentos para la crisis asmática 31
Infografía. Las nebulizaciones 32
Infografía. Los inhaladores 33
Los espaciadores 34
Infografía. Uso correcto del espaciador 35
Otros tratamientos 36
Vacunas antialérgicas 37

¿Se puede prevenir? 39
Factores desencadenantes 40
Los principales alérgenos 41
Infografía. El polvo y los ácaros 42
Otros factores de riesgo 44

Vivir bien con asma 49
El asma a lo largo de la vida 51
El asma en la adolescencia 52
El asma en el embarazo 53
Adultos mayores y asma 54
Asma y actividad física 55
Precauciones en los viajes 57

¿Cómo puede ayudar la familia? 59
Educación familiar para la salud 61
Asma y factores emocionales 63

¿Qué es la EPOC? 65
Causas de la EPOC 66
Tabaquismo y EPOC 68
Los síntomas de EPOC 69
Cómo se diagnostica 72
Una prueba clave 73
¿Se cura la EPOC? 74
Adiós al cigarrillo 76
Métodos para dejar de fumar 77
Infografía. Beneficios de dejar de fumar 78
La rehabilitación pulmonar 80

Anexos 83
Modelo de plan de acción 84
Planilla para detección de síntomas 87
Cuestionario para detección de EPOC 88
Planilla para control de EPOC 88
Test de dependencia física a la nicotina 89

Glosario 90
Bibliografía 92